CW00405673

Ein Urdd Ni

Ein Urdd Ni

MARI EMLYN

Argraffiad cyntaf: 2022

© Hawlfraint Urdd Gobaith Cymru a'r Lolfa Cyf., 2022
Hawlfraint lluniau t. 7, 9, 27, 35, 41, 47, 58, 59, 83, 91, 93, 109, 101, 111: Urdd Gobaith Cymru
Hawlfraint llun t. 21: Austin Savage, t. 31: Iolo ap Gwynn, t. 45: Eleri Twynog, t.53: Tyler Pilgrim Lloyd, t. 77: Arwyn Herald; t. 89: Alan Gwynant.
Derbyniwyd lluniau Geoff Charles ar dudalen 17 a 57 trwy ganiatâd Llyfrgell Genedlaethol Cymru.
Lluniau eraill: Cyfranwyr unigol.

Mae hawlfraint ar gynnwys y llyfr hwn ac mae'n anghyfreithlon llungopïo neu atgynhyrchu unrhyw ran ohono trwy unrhyw ddull ac at unrhyw bwrpas (ar wahân i adolygu) heb gytundeb ysgrifenedig y cyhoeddwyr ymlaen llaw

Dymuna'r cyhoeddwyr gydnabod cymorth ariannol
Cyngor Llyfrau Cymru

Cynllun y clawr: Y Lolfa
Lluniau clawr: Hawlfraint Urdd Gobaith Cymru

Rhif Llyfr Rhyngwladol:
978 1 80099 277 1

Cyhoeddwyd ac argraffwyd yng Nghymru
ar bapur o goedwigoedd cynaliadwy gan
Y Lolfa Cyf., Talybont, Ceredigion SY24 5HE
e-bost ylolfa@ylolfa.com
gwefan www.ylolfa.com
ffôn 01970 832 304

Diolchiadau

Diolch yn fawr i'r cyfranwyr: Angharad Mair, Beca Lyne-Pirkis,
Bethan Gwanas, Beti George, Bryn Fôn, Bryn Williams,
Caryl Parry Jones, Carys Eleri, Casi Wyn, Cleif Harpwood,
Dafydd Iwan, Dei Tomos, Delwyn Siôn, Dewi Pws, Dot Davies,
Dylan Ebenezer, Ed Holden, Elin Fflur, Elin Jones, Elinor Snowsill,
Emyr Wyn, Ffion Dafis, Gareth Potter, Gwennan Harries,
Heather Jones, Heledd Cynwal, Huw Stephens, Hywel Pitts,
Ian Gwyn Hughes, Ifor ap Glyn, Jason Mohammad,
Laura McAllister, Lauren Morais, Llŷr Gwyn Lewis, Mared Williams,
Mari Lovgreen, Mark Drakeford, Matthew Rhys, Mererid Hopwood,
Mici Plwm, Myrddin ap Dafydd, Nic Parry, Non Parry,
Osian Huw Williams, Rhuanedd Richards, Richard Lynch,
Sian Eleri Evans, Sian Lewis, Steffan Donnelly, Stifyn Parri,
Trystan-Ellis Morris.

Diolch i bawb sydd wedi rhoi eu lluniau gan gynnwys Urdd Gobaith
Cymru, Alan Gwynant, Eleri Twynog, Iolo ap Gwynn, Austin Savage.
Arwyn Herald, Tyler Pilgrim Lloyd a Llyfrgell Genedlaethol Cymru.

Diolch yn fawr hefyd i staff yr Urdd am bob cymorth, yn enwedig
Sian Lewis, Catrin James, Mali Thomas, Branwen Rhys Dafydd,
Lydia Jones, Eleri Roberts a Lleucu Jenkins.

Diolch fel arfer i'r golygydd hynaws yng ngwasg y Lolfa,
Marged Tudur ac i Richard Huw Pritchard am y dylunio.

Rhagair

Annwyl Urdd,

Diolch am ofyn i mi gydlynu'r llyfr lloffion hwn ar achlysur dy ben-blwydd yn gant oed! A finnau wedi gofyn i bawb arall anfon llythyr neu bwt o atgof atat, gwell i minnau fentro hefyd.

Yn Ysgol Gynradd Bryntaf o'n i un p'nawn, yn gwrando'n astud ar un o straeon T. Llew Jones am ryw 'farchog urddasol.' Gofynnodd yr athrawes a wydden ni'r plant beth oedd ystyr 'marchog urddasol'? A dyma fy llaw fach yn saethu i'r awyr. Ro'n i'n gwybod yr ateb i hyn ac atebais yn hyderus, 'Dyn sy'n mynd ar gefn ceffyl ac sy'n perthyn i'r Urdd!' Ro'n i'n methu'n lân â deall pam bod Mrs Jones yn ei dyblau'n chwerthin!

Ond doedd 'na fawr o urddas yn perthyn i mi wrth geisio marchogaeth Brân yng ngwersyll Llangrannog. Yno y dysgodd y plentyn bach o'r ddinas ystyr y gair 'pesgi' wrth i John Japheth fynd â ni o gwmpas y fferm i'n haddysgu o ble y deuai'r cig moch hyfryd y byddai Winnie'n ei goginio i ni i frecwast.

Yn Llangrannog, ddechrau'r saithdegau, cawsom ein diddanu gan selébs y cyfnod: Cassie Davies, Mari James, Tydfor, Jacob Davies, Dic Jones a'm harwr, T. Llew Jones. Gofynnodd y criw hwyliog hwn i ni'r plant alw ein henwau er mwyn iddynt lunio llinell o gynghanedd yn cynnwys ein henwau. Daeth fy nhro i a finnau'n gyffro i gyd yn disgwyl llinell aruchel a dyma Dic Jones yn dweud, 'Mawr omlet Mari Emlyn'. Hmm! Not impresd!

Yno, ddegawd yn ddiweddarach, profais ofn wrth weld ar deledu bach Steffan Jenkins fod Prydain wedi mynd i ryfel yn erbyn yr Ariannin. Ond buan y sylweddolais na allwn i fod mewn lle brafiach na saffach yn y byd nag efo aelodau Cwmni Theatr yr Urdd yng ngwersyll Llangrannog.

Syrthiais mewn cariad efo hogyn o Ddyffryn Clwyd yn Llangrannog. Chafodd o byth wybod. Syrthiais mewn cariad efo hogyn o Gwm Tawe yng Nglan-llyn. Chafodd yntau byth wybod chwaith! Llwyddaist ti i wneud i mi garu sawl un o bell a dy garu di, Urdd Gobaith Cymru â'm holl galon!

Diolch a llawer o gariad,

Mari x

Angharad Mair

Annwyl Urdd,

Pen-blwydd hapus yn gant oed! Ti'n edrych yn dda.
Ti'n cofio Pasg 1978? Theatr Ieuenctid yr Urdd yn
cyflwyno'r 'Roc Miwsical' *Miss Gwalia*, gyda saith deg ohonom
yn treulio wythnos yn Llangrannog cyn mynd ar daith i brif
theatrau Cymru. Wel, dyna wythnos fwyaf cyffrous a dylanwadol
fy mywyd hyd heddiw, er dwi wedi heneiddio tipyn ers dathlu
fy mhen-blwydd yr wythnos honno yn ddwy ar bymtheg oed!
Dim ond dwywaith wnes i gystadlu yn yr eisteddfodau.
Adrodd y darn 'Clatsh y Cŵn' dan wyth a dim ond llwyddo i
gofio'r teitl yn rhagbrawf yr Eisteddfod Cylch; hunllef
hyd heddiw! Ac wedyn y parti recorders dan ddeuddeg gan
ennill yn y Sir – ond dim llwyfan wedyn. Wrth gwrs, dwi
hefyd yn trysori'r atgofion o'r gwersylloedd haf – y sbort
yn Llangrannog a hwyl anhygoel Gorffennaf yng Nglan-llyn
a'r dagrau'n llifo wrth adael yn addo i ryw fachgen sbesial i
gwrdd eto'r flwyddyn ganlynol.
Roedd yr Aelwyd yng Nghaerfyrddin bob nos Wener hefyd
yn bwysig, yn enwedig a hithau'n gyfnod mor gyffrous o ran
cerddoriaeth Gymraeg. Richard Rees yn DJ yn ein disgos a
bysus yn dilyn Edward H i bobman, hyd yn oed i Gorwen!
Ond roedd Theatr yr Urdd yn agor drws i'r dyfodol. Cael
y cyfle cyntaf i berfformio'n broffesiynol dan arweiniad
pobl wych fel Emyr Edwards yn cynhyrchu a Delwyn Siôn wedi
cyfansoddi i sgript hwyliog Urien Wiliam. Ond yr hyn dwi'n
gwerthfawrogi fwyaf yw'r ffrindiau sydd wedi para oes ers yr
un wythnos honno – ffrindiau dwi'n eu gweld yn rheolaidd hyd
heddiw, a *Miss Gwalia* yn llinyn cyswllt cadarn ac yn sail i
gyfeillgarwch gwych.
Diolch i ti'r Urdd am roi profiadau i mi a chyfleoedd na
fyddai wedi bod yn bosib heb dy fodolaeth di.
Ymlaen i'r cant nesaf!
Angharad Mair x

Angharad Mair

Beca Lyne-Pirkis

Annwyl Urdd,

Dwi'n teimlo mor ffodus o fod wedi cael y cyfle i brofi'r
Urdd ar draws y blynyddoedd, gan wisgo sawl cap gwahanol.
Pob cyfnod ag atgofion melys a ffrindiau oes, ac wrth gwrs y
chwerthin – lot fawr o chwerthin!
    Wrth feddwl yn ôl dros y blynyddoedd fel aelod ac yna fel
un o staff yr Urdd, yr hyn sy'n aros yn y cof yw'r holl gyfleoedd
ges i drwy'r mudiad. Ymarfer a pharatoi ar gyfer cystadlu yn y
'Steddfod; clwb adran yr Urdd ar ôl ysgol ac yn y capel; mynd i
Langrannog, Glan-llyn a Phentre Ifan; bod yn swog; ac yna staff
haf, cyn cychwyn gweithio fel swyddog cynorthwyol datblygu –
a nawr fel beirniad, heb sôn am bopeth arall!
    Dwi'n cofio gwisgo bagiau bin du i ddisgo tra o'n i'n
swogio yng Nglan-llyn! Hwnna oedd y disgo gorau a'r mwyaf
chwyslyd erioed! Dringo'r Wyddfa gyda chriw o bobl ifanc ganol
nos, cysgu ar y copa ac yna gweld yr haul yn codi dros Gymru
fach. Waw, oedd hwnna'n anhygoel! Sgio yn Llangrannog, rhoi
gormod o 'rocket fuel' ar y sgis cyn saethu lawr a mynd yn syth
trwy'r ffens a mewn i'r hen gwt ar waelod y llethr! Gwisgo lan
fel Mr Urdd yn 'Steddfod Caerdydd, dim ond i gael *allergic
reaction* i'r wisg ac felly'n gorfodi rhywun arall i'w gwisgo hi
gan anghofio dweud wrth fy mrawd wnaeth wneud tacl rygbi ar
Mr Urdd, yn meddwl taw fi oedd e!
    Mae gormod o straeon i'w rhannu a rhai wna i fyth
ddatgelu!
    Beth sy'n gyffrous yw'r cyfleoedd sydd yn dal i ddod: creu
cacen pen-blwydd yr Urdd i ddathlu'r 100, beirniadu a chael
y fraint o gael rôl fach ym mhenwythnos #FelMerch... am gyfle
gwych i ferched ifanc y mudiad!
    Diolch am bopeth hyd yn hyn a beth bynnag sydd eto i ddod!
    Beca

B. Lyne-Pirkis

Bethan Gwanas

Annwyl Urdd,

Diolch am neud i mi sylweddoli nad o'n i'n unawdydd; nodau uchaf 'Mae gen i Ddafad Gorniog' danlinellodd y ffaith honno i mi yn yr ysgol gynradd. Ond mae angen dysgu colli, ac mi ges i ran yn y sioe gerdd *Jiwdas Iscariot* yn 1979 am 'mod i'n alto eithaf da, a chael teithio Cymru efo'r sioe a dod i nabod pobl ddaeth yn ffrindiau da i mi. Ond ches i ddim gwahoddiad i ganu ar yr LP. Ac mae'r rhai oedd yno'n dal i gofio'r smonach wnes i o'r dawnsio yn Theatr Gwynedd – sori. Stori hir.

   Diolch am y goron fechan (replica) ges i yn Steddfod 1985, pan ro'n i fod yn dysgu Saesneg yn Nigeria. A nac ydw, wrth gwrs nad ydw i'n berwi efo cenfigen pan dwi'n gweld enillwyr heddiw yn cael coron fawr unigryw i gyd iddyn nhw eu hunain. Na, dwi jest yn deud wrthyf fi fy hun 'mod i'n falch bod yr achlysur wedi fy ysbrydoli i drio sgwennu. Ac yn teimlo'n euog pan fydd y goron fechan yn gwgu'n ddu arna i oherwydd ei bod angen ei glanhau – eto.

   Diolch am roi blas o hwylio a chaiacio i mi yng Nglan-llyn fel 'mod i wedi mynd ymlaen i wneud cwrs ymarfer dysgu gweithgareddau awyr agored. Oni bai am y capseisio cyson yn Llyn Tegid, fyddwn i ddim wedi cysgu yn yr eira ar y Cairngorms; dringo rhaeadrau wedi rhewi; meistroli'r *high brace* yn y tonnau yn Rhoscolyn; gweld dolffiniaid wrth gaiacio o Ynys Barra i Dde Uist yn Ynysoedd Heledd (yr Outer Hebrides); na sgwennu nofel o'r enw *Llinyn Trôns*.

   Mi allwn i fynd mlaen, ond mae awduron i fod i wybod pryd i beidio.

   Bethan Gwanas

Bethan Swanes xx

Beti George

Annwyl Anti Lizzie,

Wel, mae hi wedi bod yn ddiwrnod mawr 'ma heddi. Neb llai na
Syr Ifan yn galw heibio. Ac fe ddaeth ei fab Prys i'm helpu i
grafu tato ar gyfer cinio, chware teg iddo. Ac wedyn fe ges
lifft lawr i draeth Llangrannog yng nghar mawr Syr Ifan.
Roedd e mor neis – Syr Ifan a'r car! Roedd Mrs Jôs wedi mynd mas
o'i ffordd i neud pethe hyfryd i de iddo fe – byns, *meringues* a
chocolate eclairs. Nid i'r plant serch hynny!

Dwi'n mwynhau fy hunan mas draw a'r peth rhyfedd yw ein
bod yn canu drwy'r amser – wrth weithio ac wrth joio! Fusech
chi ar ben eich digon 'ma! Canu a charu – mae fel petaen ni yn
Hollywood gyda Shân ac Owen – mab arall Syr Ifan, yn amlwg
wrth eu boddau yng nghwmni ei gilydd!

Fe ysgrifennais hwnna bythefnos yn ôl. Wel, heddi dwi
yn Ysbyty Glangwili yng Nghaerfyrddin. Roeddwn yn teimlo
mor dost yn y gwersyll un noson yn y cwt pren. Rhag ofn i fi
ddihuno'r ddwy arall roedd rhaid i fi sleifio mas yn dawel i'r
tŷ bach – ar fy mhedwar gan 'mod i'n methu cerdded.

Drannoeth fe alwon nhw'r meddyg ac roedd rhaid mynd â fi
ar ruthr i'r ysbyty. Doedd y meddygon ddim yn gwybod beth oedd
yn bod. Ond fe ges i fynd dan y gyllell a'r peth cyntaf ddwedodd
y llawfeddyg wrthyf ar ôl i fi ddihuno oedd, 'You won't be able
to wear a bikini!' (B...cs i hwnna!) Apendics bron â byrstio
oedd y broblem. Diolch i Ifan Isaac a'i griw, roedden nhw wedi
llwyddo i atal hynny rhag digwydd.

Fe fydda i wedi gwella digon gobeithio i ddechrau yn y
brifysgol yng Nghaerdydd yr un pryd â'r lleill ymhen tair
wythnos.

Cofion gore,
Beti

Beti George

Bryn Fôn

Annwyl Urdd,

Gair bach sydyn i ddiolch i chi, nid am yr oriau o ymarfer
unawdau gyda Mrs Evans 'Ceris', nac ymarfer y parti Cerdd Dant
gyda Mr Glyn Owen (Prifathro Ysgol Gynradd Llanllyfni) ond yn
hytrach am agor fy meddwl a'm byd.

Fel plentyn o deulu tlawd yn Nyffryn Nantlle, nid oeddwn
yn gwbod fawr ddim am Gymru a heb deithio dim pellach na'r
Rhyl (tripiau Ysgol Sul i blant y gogledd) a fawr pellach na
Thrawsfynydd i'r de. Drwy brofi llwyddiant yn Eisteddfodau'r
Urdd cefais ymweld â llefydd egsotig fel Brynaman a Llanelli
a hyd yn oed Caerdydd! A dwi'n cofio a gwerthfawrogi'r croeso
gan bobol gyfeillgar yn eu tai a gwneud ffrindiau oes.

Diolch eto,

Bryn Fôn

Bryn Williams

Annwyl Urdd,

Bob tro dwi'n meddwl amdanat ti, dwi'n gwenu. Dwi'n gwenu wrth
gofio'r dyddiau gwych yn teithio o gwmpas Cymru yn cystadlu
mewn pob math o weithgareddau chwaraeon. Un sy'n aros yn y cof
ydi teithio i ganolbarth Cymru i redeg traws gwlad efo Ysgol
Twm o'r Nant.

Ac mae'r atgofion melys sydd gen i o fy amser i yng Nglan-
llyn yn llifo'n ôl wrth i mi sgwennu'r llythyr bach hwn i ti.
Dwi'n cofio cyfri'r dyddiau'n eiddgar cyn cael mynd yno, a'r
hwyl wedyn gawson ni ar y dŵr, cysgu mewn sach gysgu ar gopa
rhyw fynydd, ac wrth gwrs y cyfeillion bendigedig wnes i yno.
Ffrindiau o bob cwr o Gymru ac sy'n parhau'n ffrindiau am oes.

Dwi'n wironeddol ddiolchgar am y profiadau; ac mae
dylanwad y profiadau hynny'n aros efo fi heddiw.

Diolch o galon,
Bryn

Caryl Parry Jones

Annwyl Urdd,

Pen-blwydd hapus!
Wel, mae'n wir dweud ein bod ni'n dau 'di nabod ein gilydd
ers tipyn go lew yn dydi? Dwi'n dy gofio di pan oeddet ti'n
HANNER cant ac a dweud y gwir pan oeddet ti'n dathlu dy hanner
canrif mi o'n innau'n dathlu hefyd. Ti'n cofio Eisteddfod y
Jiwbilî (na, dim y Jiwbilî yna, dy Jiwbilî DI...) yn y Bala, 1972?
Wel, ar ôl rhagbrawf yn Neuadd Buddug ddaru'r beirniad (rhyw
foi o'r enw Dafydd rwbath... ym... Iwan, 'na fo. Dafydd Iwan)
benderfynu'n rhoi ni ar y llwyfan yng Nghystadleuaeth y Gân
Ysgafn Fodern. 'Ni' oedd Sioned Mair, Meinir a Gwenan Evans,
Gaenor Roberts, Gareth Parry a fi, a chwarae teg i Mr Iwan mi
roddodd o'r wobr gyntaf i ni!
Ac o hynny 'mlaen, annwyl ffrind, a'th petha'n reit dda
ti'n gwybod. Ddaru ni enwi'n grŵp yn Sidan a thrwy Sidan
ges i'r cyfle i ddechrau cyfansoddi a threfnu harmonïau a
pherfformio'n gyffredinol a dwi 'di bod yn ddigon lwcus i fod
wedi gallu gwneud hynny ers dy Steddfod di mor bell yn ôl ag
1972.
Felly diolch o waelod fy nghalon, Urdd Gobaith Cymru,
ddim jest am yr achlysur yna ond am bopeth a phob cyfle ddaru
ti eu rhoi i mi a miloedd ar filoedd o blant a phobl ifanc dros
y ganrif ddiwethaf.
Ti'n lej!
Cariad mawr,
Caryl

Carys Eleri

Annwyl Urdd,

Dim ond nawr fel oedolyn alla i ddechrau dygymod ag effaith yr Urdd, nid yn unig ar fy mywyd i, ond ar fywydau gymaint ohonom. Ro'n i'n gystadleuydd brwd, ac er i'r ŵyl yma arllwys sgiliau a hyder i mewn i 'mywyd i, fy hoff ogwydd i o'r sefydliad yw'r modd iddo ein cysylltu ni i gyd gyda'n gilydd. Bob blwyddyn o'n i'n disgwl mla'n gyment i fedru 'hongian allan' gyda'r Gogs a threulio amser gyda phlant a phobl ifanc. Mae'r cysylltiade gafodd eu creu yn dal i fod yn rhai cryf yn fy mywyd; merched fel Tara Bethan a Mirain Haf. Do'n i ddim yn byw yn agos i'r un ohonyn nhw, ond dyfon ni lan yn adnabod ein gilydd drwy'r Urdd a dim ond blaguro nath ein cyfeillgarwch ar hyd y daith.

Mae pobol weithie yn gofyn i fi, 'How does everyone in Wales actually know each other so well?' A'n ateb i bob tro yw, 'Urdd, babes.'

Mae'r sefydliad amhrisiadwy yma wedi creu cymuned genedlaethol gref am gan mlynedd nawr. Mae gan gymaint ohonom ni hanes gyda'n gilydd, yr un atgofion ar draws y wlad oherwydd yr ŵyl ei hun a'i gwersylloedd anhygoel.

Rwy'n mwynhau gymaint gweld ei neges o heddwch yn cael ei rhannu'n flynyddol, gweld pobol ifanc yn trafod yr argyfwng hinsawdd, rwy hefyd wedi bod wrth fy modd yn gweld y cyfleoedd sy'n cael eu rhoi i ferched o fewn y byd chwaraeon yn ddiweddar. Mae ymgyrch #Fel Merch wedi bod yn ysbrydoledig.

Diolch o galon am yr Urdd, gwir obaith Cymru. Am anrheg i genedl!

Carys Eleri
x ♡ x

Casi Wyn

Annwyl Urdd,

Mae'r Urdd yn annwyl iawn i mi.

Dydw i ddim yn cofio amser heb ei llwyfannau ac yn hynny o beth does dim amheuaeth mai dyna pam i mi wyro gymaint tuag at bŵer alawon a grym geiriau. O ganu am yr alarch wydr, y roced i'r gofod a'r hen wraig fach sy'n rhoi llaeth i'r llo – mae llwybrau a throeon y canu, ond yn fwy penodol y *dysgu* yn rhan elfennol o 'ngwneuthuriad a'm dychymyg.

Pan fydda i'n cynnal gweithgareddau o dan faner Bardd Plant Cymru, mae'r storfa o benillion a brawddegau i mi eu dysgu ar fy nghof yn blentyn bellach yn cynnig ysbrydoliaeth i blant a phobl ifanc mewn modd na fyswn i wedi gallu ei ddirnad pan o'n i'n ferch fach fy hun.

Mae'r Urdd wrth gwrs yn byw tu hwnt i'r llwyfan confensiynol hefyd – mae'n llwyfan diderfyn ar ffurf clybiau gyda'r hwyr, aelwydydd, uwch adrannau, cwmnïau theatr a gwersylloedd. Mae'r brwdfrydedd ymysg y rhai sy'n gweithio gyda a thros y mudiad yn fath prin iawn o egni, yn hwyl ac yn angerdd gwirioneddol dros gymunedau ein gwlad.

Mi awgrymodd rhywun unwaith bod yr Urdd yn bwynt cyswllt rhwng pawb yng Nghymru, ac mae hynny'n wir bob gair. Dyma symudiad ac ymgynulliad sy'n llwyddo i'n huno fel cenedl mewn dull sy'n cyfoethogi ein plant gan greu dinasyddion agored eu meddwl, cyfoethog eu profiadau ac iach eu hysbryd.

Kasi Wyn

Cleif Harpwood

Annwyl Urdd,

Dwi am i ti wbod dy fod wedi bod yn rhan o 'mywyd i ers o'n i'n blentyn wyth o'd yn Ysgol Gymraeg Pont-rhyd-y-fen, a bûm yn aelod ffyddlon i ti wedi hynny hefyd, yn ddisgybl yn Ysgol Rhydfelen ac adre yn yr Aelwyd yng Nghwmafan.

Diolch i ti am roi'r cyfle i mi berfformio ar lwyfan am y tro cyntaf yn dy eisteddfode. Ro'n ni wrth fy modd yn gwisgo dy fathodyn trionglog trilliw a dy dei coch a gwyrdd. Pob hyn a hyn cawn lwyddiant, fel yn Eisteddfod Porthmadog ar ddechre'r chwedege am ganu yn y parti cerdd dant. Dyma un o'r troeon cyntaf i fi ymweld â gogledd Cymru a chyfarfod â Chymry Cymraeg o'dd yn siarad ychydig yn wahanol i fi. Ti agorodd fy llyged i'r Gymru y tu fas i'm cynefin.

Ro'n i wrth fy modd yn ymweld â dy wersylloedd yn Llangrannog a Glan-llyn. Rhaid dweud taw Llangrannog o'dd ore 'da fi, y pebyll ar dir Cefn Cwrt; traeth Cilborth ac Ynys Lochtyn, manne sy'n aros yn agos at fy nghalon. Dwi'n cofio, tra o'n i'n wersyllwr, cyfarfod â dy sylfaenydd, Syr Ifan a Ledi Edwards pan fuon nhw ar ymweliad â'r gwersyll yn y chwedege, tipyn o anrhydedd. Byddwn yn dychwelyd dro ar ôl tro yn wersyllwr ac yn swog.

Oeddet ti'n gwbod taw yng ngwersyll Llangrannog y cyfansoddwyd nifer o ganeuon yr opera roc *Nia Ben Aur*? A phan oeddwn yn wyliwr nos yno yn 1975, 'sgrifennes 'Ysbryd y Nos'. Bu aelode Edward H Dafis i gyd yn aelode balch o dy fudiad anhygoel.

Dwi'n cofio 'sgrifennu cân ar gyfer *Ffilm yr Urdd*, o'dd yn dilyn trywydd aelod newydd o'r enw Jên ar ei hymweliad cyntaf â Gwersyll Glan-llyn. A dyma'r hyn y mae'r dysgwr o Gilfynydd yn ei ddweud am y profiad yn 'Cân Jên': 'Yn y gwersyll ro'dd teimlad o berthyn.'

O'dd, ro'dd perthyn i dy fudiad di yn rhan bwysig iawn o 'mywyd i.

Cleif Harpwood

Dafydd Iwan

Annwyl Urdd,

Mae gen i ymddiheuriad bach i'w wneud i ti. Mi wnes i dwyllo
fy ffordd i Wersyll Llangrannog – ddwywaith!
    Os cofiaf yn iawn, yn ôl yn Oes yr Arth a'r Blaidd, pan
oedd y bechgyn mewn pebyll crwn ar waelod y cae, a'r merched
allan o gyrraedd yn eu cabanau pren ym mhen uchaf y cae, roedd
y gwersyll i fod i blant rhwng deg a phedair ar ddeg oed. Ond
mi lwyddais i fynd yn wersyllwr yn naw oed, ac wedyn ymhen
chwe blynedd, yn bymtheg oed! Roeddwn mor fychan o ran maint,
ac yn dal mewn trowsus cwta, wnaeth neb amau dim. Felly, os
caf faddeuant gen ti, tybed a gaf i wneud cais am y teitl, 'y
gwersyllwr sy'n dal y record am fynd i Langrannog am chwe haf
yn olynol'? Paid â phoeni os nad oes y fath deitl yn bod, ond
roeddwn am roi cynnig arni, ta beth.
    Ymhen ychydig flynyddoedd wedi'r campau hynny, roeddwn
yn byw yn Llanuwchllyn, ac roedd Glan-llyn braidd yn rhy agos
i fynd yno ar 'wyliau', felly mi ges i fy hun yn dilyn fy mrawd
Huw fel gwas bach y gegin. Edrych ar ôl y tanau a pharatoi'r
tatws a phicio i Lan-llyn Isa' bob hyn a hyn oedd y prif jobsys
(ar wahân i drio gneud argraff ar ferched y gegin), ond roeddwn
yn cael cyfle i ymuno yn yr hwyl a'r canu gyda'r nosau. Ac yno
y sylweddolais, gyda chryn gyffro, fod geiriau 'Ji, ceffyl bach'
yn ffitio'n berffaith ar alaw, 'Froggy went a-courtin'. A dyna
fu hi wedyn. Doedd dim troi'n ôl i fod – o 'Ji, ceffyl bach' yng
nghaban Glan-llyn i 'Yma o Hyd' yn Stadiwm Caerdydd.
    Diolch i ti, Urdd annwyl.
    Dafydd Iwan

Dei Tomos

Annwyl Urdd,

Mae'n amserol ganrif wedi dy eni, yn sgil Llythyr Llanarth a ysgrifennwyd gan y Sylfaenydd, i mi dy longyfarch ar dy ben-blwydd.

Fy ymweliad cyntaf â Llangrannog ddaeth â thi yn fyw i mi. Yno mewn wythnos o hwyl ac antur wedi fy ngwisgo fel Capten Ahab yr enillais i gystadleuaeth y wisg ffansi wrth erlyn Moby Dick y morfil mewn sowestar a welis, gan gario coes brwsh llawr a chyllell fygythiol fel harpŵn ar ei blaen.

Diddordeb mewn mynydda aeth â fi gyntaf i Lan-llyn ac yn ei sgil daeth hwylio a chanŵio hefyd i fynd â'm bryd. Diolch i anogaeth John Eric ac eraill deuthum yn 'swog' a hyfforddwr, ac yna wedi penderfynu peidio mynd yn athro (oedd 'na ddewis?), derbyn swydd Trefnydd Sir ym Maldwyn a gwireddu breuddwyd, o weithio i ti; ar gyflog digon gwachul i ddechrau, rhaid cyfaddef! Ond fe gefais fini-fan i hwyluso'r teithio, heb sôn wedyn am y Beatle VW gwyrdd hollol anaddas i gario offer, a phum mlynedd difyr yn y Canolbarth, lle dysgais i sut i alw Twmpath!

Wedyn symud i Lan-llyn i fod yn ddirprwy bennaeth am dros saith mlynedd rhyfeddol. Cymreictod yn byrlymu; cyrsiau iaith yn blodeuo; aelodau'n cael cyfleoedd a mwynhad a rhai'n cael eu hanfon adra am ddod â diod feddwol i'r gwersyll!

Diolch i ti, cefais arwain pymtheg o dy eisteddfodau cenedlaethol a gyrru'r Land Rover ar Urdd '74, lle'r aethon ni â chanu pop a'r hwyl Cymreig i lefydd na welodd y ffasiwn beth erioed. Ni fu blynyddoedd tebyg o haul a hwylio; mynydda a glaw; sgwrsio a thynnu coes; cyd-weithwyr a chyfeillion oes. A dyma gadw'r delfrydau a roddodd i ti dy fodolaeth ac i ddal i fyrlymu a thithau'n fythol ieuanc ar ddiwedd dy ganrif gyntaf.

Dei Tomos

Delwyn Siôn

Annwyl Urdd,

Y môr yn wyrddlas a'r caeau fel cwilt; pebyll gwyn a chabanau
pren; tractor ar lethr a gwylanod yn ei ddilyn. Rhyfeddod
gweld Gwersyll Llangrannog am y tro cyntaf i grwtyn bach
deng mlwydd oed o'r cymoedd diwydiannol di-liw. Arwain
Noson Lawen cyn diwedd yr wythnos! Ie, cyfle i berfformio.
Yna, saith mlynedd o ddeuawdau, partïon a chorau, a thrampo'n
hapus 'o Steddfod i Steddfod' cyn cyrraedd Abertawe'n '71, a
chystadlu ar y gân bop unigol (a chael cam – wrth gwrs!!!😂) cyn
bwrw mlaen i Lan-llyn i hwylio, canŵio, cerdded a chanu wrth
gwrdd â chyfeillion newydd a ddaeth yn ffrindiau bore oes.
Swogo'n Llangrannog; gweithio fel Trefnydd ym Meirionnydd;
Cyfarwyddwr Cerdd y Cwmni Theatr Ieuenctid, hyn oll a mwy,
oherwydd yr Urdd.
    Am fraint. Felly, be mwy sydd i'w ddweud? 'Mond diolch.
    Delwyn Siôn

Selwyn Shaw

Dewi Pws

Annwyl Urdd,

Fy mhrofiad cyntaf ohonot oedd yn Ysgol Gymraeg Lôn Las,
Abertawe. Miss Thomas yn rhoi drwm i fi drio chware yn y band
taro (*ta, ta, tate ta!*) ac mi glices i! Roedd rhaid i fi sefyll yn
y rhes gefn achos o'n i ffili stopo tapo 'nhroed... a byddai'r
beirnied yn ein cosbi am hynny! Gollon ni, ta beth!

Doeddwn i ddim yn cael canu yn y côr achos o'dd yn lais
i ddim digon da! Ha! Dwedwch 'ny wrth Y Tebot Piws, Edward H,
Radwm a Mochyn 'Apus! Yna ymuno ag Aelwyd Treforus a mwynhau
blynydde o berfformio mewn nosweithi llawen, a diolch i'r
Urdd am gael prentisieth wych ar gyfer comedi ag actio, chware
gitâr a chyfansoddi. Roeddet ti'n gymorth gwych ar gyfer gyrfa
yn y theatr a magu hyder i berfformio dros Gymru gyfan.

Teithio i eisteddfode dros y wlad i gyd a chlywed 'Gogs!'
am y tro cyntaf! Profiade, profiade, profiade! A chael cwrdd â
llwyth o bobl fydde'n tyfu'n ffrindie oes.

Yna'r profiad gore – mynd i Lan-llyn am wythnos a chwympo
mewn cariad â'r lle (a lot o ferched!)

O hynny ymlaen byddwn i'n treulio mis cyfan bob haf yn y
gwersyll, yn dysgu pethe ANHYGOEL fel dringo, hwylio, darllen
mapie, cyfansoddi caneuon, gan gwrdd â phobol fel Huw Jones,
Heather Jones, Geraint Jarman a Dafydd Iwan. (Mae'n debyg ei
fod e YNO O HYD! 😊)

Diolch i ti Urdd, achos ti ddysgodd fi i garu Cymreictod
(wir!) ac mi wyt ti'n DAL i ddenu pobol ifanc i fyw eu bywyde yn
Gymraeg.

Diolch am bopeth.
Dewi Pws

Dewi Pws

Dot Davies

Annwyl Urdd,

Ail yn y Sir yn y llefaru dan bymtheg oed, ail yn yr alaw werin, trydydd, ie trydydd, yn yr unawd! Bydde rhai yn gweud bo fi 'di ca'l cam! Ond fe ges i brofiadau gwerth cymaint mwy na thystysgrif. Canu mas o diwn yn rhacs yn 'Steddfod Cylch, anghofio geiriau, a fy mrawd i'n dost yn chwerthin yng nghefn neuadd bentref Aber-porth!

Profiadau sy'n meithrin cymeriad, yn magu hyder, yn creu ffrindiau oes.

Taswn i ond yn cael mynd yn ôl i'r gwersyll yn Llangrannog a chael disgo arall yn bedair ar ddeg oed. Ges i rio'd *smooch* da'r pishyn 'na o'r cymoedd i gân Chiz!

Diolch o waelod calon, mae'n dyled ni'n enfawr, ac mae fy mhlant i'n elwa mwy nag erioed o'r holl brofiadau.

Dot

Xx

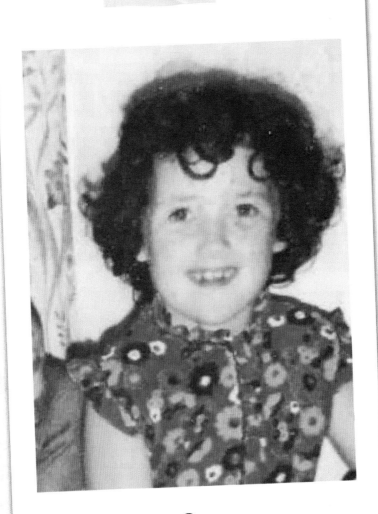

Dylan Ebenezer

Annwyl Urdd,

Yn gyntaf, pen-blwydd hapus yn gant oed! Ti siŵr o fod ddim eisiau llawer o ffws. Dim ond telegram gan y Frenhines, Beti George, a darn bach o gacen! Ond mae angen ffws! Ac mae angen dweud diolch, hefyd. Diolch am bopeth!

Diolch am gael jyglo mewn Cân Actol a bloeddio mewn grŵp llefaru a meimio yn rhes gefn y côr. Diolch am roi'r cyfle cyntaf i fi daflu geiriau i'r awyr a gweld ble maen nhw'n glanio – a sylweddoli bod barddoniaeth a rhyddiaith yn gallu bod yn hwyl. Diolch hefyd am y cyfle i ddrysu'n llwyr mewn cyfweliad teledu ar ôl ennill yn Eisteddfod Taf Elái gan fynnu fy mod yn hoffi sgwennu cerddi caeth – er bod dim cynghanedd yn agos at y gerdd dan sylw. *Poetic licence?* 'Nes i sylweddoli'n gyflym ar ôl hynny ei bod hi'n haws holi nag ateb cwestiynau. 'Nes i hefyd sylweddoli fy mod yn casáu sefyll ar lwyfan o flaen cynulleidfa. Ond, diolch am y cyfle i wneud hynny a cheisio dod dros y nerfau. Maen nhw'n dal yno. Ond, o leiaf bod modd rheoli'r pilipalod sy'n cael parti yn y stumog. Weithiau.

Diolch am yr holl brofiadau a'r cyfleoedd ar draws y blynyddoedd. Hyd yn oed y rhai siomedig.

Dwi wedi rhwygo fy hoff *shellsuit* yn sgio yn Llangrannog a thorri fy nghalon yng Nglan-llyn. A does neb yn deall yn iawn beth yw siom tan bo' chi'n mynd yr holl ffordd o'r eisteddfod leol i'r Genedlaethol, cyn cael cam yn y rhagbrofion. Dyma un o brofiadau mawr bywyd.

A diolch am fod yma o hyd – achos dwi'n gwybod y bydd fy mhlant yn cael yr un cyfleoedd. Er, maen nhw'n gallu canu. Felly fydd dim angen meimio!

x

Ed Holden

Annwyl Urdd,

Dros y blynyddoedd mae'r Urdd wedi bod yn allweddol i fy musnes, i greu marc yn y diwydiant gan hefyd adeiladu fframwaith o gysylltiadau gwerthfawr. O gynnal sesiynau bîtbocsio yng Nglan-llyn i berfformio mewn nifer o Eisteddfodau yn y gogledd a'r de, mae'r Urdd wedi fy nghefnogi a fy ngwthio i yn fy mlaen ers i fi gychwyn fy musnes yn ôl yn 2008.

Mae gen i atgofion anhygoel o gydweithio efo'r staff a chymeriadau gwahanol. Dwi wrth fy modd efo'r ffaith bod yr Urdd yn rhoi'r rhyddid i'r staff arbrofi a bod yn greadigol. Mae'r agwedd yma'n bendant yn helpu datblygu meddyliau pobl ifanc gan hefyd greu awyrgylch bositif i bawb. Dan ni'n andros o lwcus i gael mudiad fel hwn yng Nghymru.

Diolch i chi Urdd am fy helpu i ehangu fel unigolyn, fel artist ac yn fy musnes. Dwi wir yn gwerthfawrogi'r cyfleoedd a chyd-weithio efo'r staff. 'Dach chi gyd yn wych!

Dwi'n edrych ymlaen at gael cydweithio mwy yn y dyfodol!

Parch Urdd!!!

Ed

Elin Fflur

Annwyl Urdd,

Mae gen i lawer o le i ddiolch i'r Urdd am greu pwy ydw i heddiw a dweud y gwir. Ar lwyfan yr Urdd wnes i fagu hyder i berfformio. Yno, mi wnes i brofi sawl siom, ond hefyd llwyddo ambell dro. Gwersi pwysig bywyd yn cael eu dysgu'n ifanc iawn!

Un atgof clir sydd gen i ydi cyrraedd llwyfan y Genedlaethol gyda'r Unawd Cerdd Dant rhwng 8 a 10 oed. Trydydd ges i'r flwyddyn honno, a Mari Grug ac Elin Llwyd yn cipio'r gwobrau eraill. Rhyfedd o fyd, dwi'n gweithio ar yr un rhaglen â Mari erbyn hyn, ac wedi dod ar draws Elin droeon mewn cyngherddau. Wel, mae Cymru'n fach, meddan nhw!

Atgof arall ydi'r ymarfer olaf cyn yr eisteddfod gyda chôr Ysgol Gynradd Llanfairpwll. Mam oedd yn arwain y côr, a hithau'n athrawes yno. Aeth yr ymarfer yn arbennig o dda, a phawb wedyn yn troi at yr arweinydd am y ganmoliaeth neu'r feirniadaeth. A dyna lle'r oedd Mam yn ei dagrau wedi gwirioni gyda'r perfformiad. Ond i mi yn naw mlwydd oed, *embarrassing* ta be?! Ymlaen i'r eisteddfod ac ennill, a do, cafodd Mam faddeuant!

Yn Abergwaun fe ges i a fy ffrind, Elin Haf, dipyn o antur! Roedden ni yno i gystadlu ar y ddeuawd. Cafodd Mam gynnig tŷ i ni'n tair a ninnau'n falch o lety rhad ac am ddim! Pan gyrhaeddon ni, roedd y lle yn edrych fel rhywbeth allan o ffilm arswyd! Pan ddaeth hi'n nos, daeth Mam, fi ac Elin at ein gilydd i gysgu, yn grediniol ein bod yn gweld cysgod a chlywed sŵn! Er yr ofn a'r noson ddi-gwsg, cawsom yr ail wobr a chwerthin yr holl ffordd adra wrth ail-fyw'r noson arswydus yn Abergwaun!

Diolch i'r Urdd am roi profiadau gwych i mi ac am ddysgu cymaint i mi ar hyd y ffordd.

Elin Fflur

Elin Jones

Annwyl Urdd,

Diolch am gynnig y cyfle i fi fod yn aelod o Adran yr Urdd
Llambed ar ddechrau'r 1980au. Mi ges i gymaint o gyfleoedd
gwahanol – o gystadlaethau tennis bwrdd i gystadlu ar
lwyfan yr eisteddfod. Rwy'n cofio'n fyw iawn o hyd y profiad
gwefreiddiol o ennill Côr Adran 15 oed yn Eisteddfod Dyffryn
Teifi. Rwy'n cofio cyrraedd nôl i dre Llambed y noson honno
mewn bws a chael ein tywys mewn i'r dre gyda'r frigâd dân.
Diolch hefyd am y cyfle i ffurfio grŵp bach Bambŵ i gystadlu –
grŵp wnaeth arwain maes o law at sefydlu'r grŵp Cwlwm!
  Diolch am lwyth o gyfleoedd a llwyth o hwyl,
  Elin Jones

Elinor Snowsill

Un o fy atgofion i o chwaraeon yn y wlad yma oedd mynd i Gaeau
Llandaf bob bore Sadwrn ar gyfer gemau pêl-droed yr Urdd. Fi
oedd yr unig ferch yn chwarae ar y pryd. A dwi'n cofio Gary
a Sian pan o'n i tua saith neu wyth oed. Ie – dyna ble nes i
ddechre fy ngyrfa chwaraeon i yng Nghymru, dechre gyda phêl-
droed ac wedyn mynd ymlaen i rygbi. 'Nes i ddysgu lot. O'dd y
bois ddim yn pasio i fi felly o'dd rhaid i fi ennill y bêl fy hun
ac wedyn neud beth o'n i moyn o fanna.

Wedi hynny o'n i'n cymryd rhan yng nghystadlaethau'r
Urdd yn yr ysgol ym mhob camp wahanol. Ond y peth mwya
cofiadwy oedd taith yr Urdd i Kilifi i Kenya yn 2019. Dyma,
yn bendant, un o'r tripiau gore erioed a baswn i'n dwli mynd
yn ôl yna. Nath y chwe diwrnod o'n i yna newid fy mywyd i'n
gyfan gwbl. Nathon ni ymweld ag elusen o'r enw 'Moving the
Goalposts', o'dd yn gweithio gyda menywod ac yn trio taclo
heriau mawr o'n nhw'n wynebu ar y pryd. O'dd e jest yn brofiad
anhygoel ac yn un fysen i erioed wedi cael heb yr Urdd. O'n i'n
rîli hoffi beth o'n nhw'n trio neud mas 'na, ddim jest 'drop in'
a 'drop out', ond gweithio gyda'u hyfforddwyr nhw a rhannu
ymarferion o'r hyn o'n i'n neud yng Nghymru ond yn bwysicach
falle, dysgu oddi wrthyn nhw hefyd.

Nath y profiad yna neud i fi sylweddoli pwysigrwydd
chwaraeon a falle mynd â fi'n ôl i wir bwrpas chwaraeon, sef
uno pobl i helpu pobl sydd angen e. Rhoi hyder i bobl, a rhoi
lle i bobl fwynhau heb unrhyw farnu. Profiad bythgofiadwy!
Dwi'n diolch yn fawr i'r Urdd am y cyfle yma.

Elinor

Emyr Wyn

Annwyl Urdd,

Gair bach byr o ddiolch yw hwn a chithe'n dathlu pen-blwydd eitha sbeshal! Fel mae'n digwydd, dwi'n dathlu pen-blwydd arbennig 'leni hefyd! Ddim cweit mor hen â chi, ond mae 'na gysylltiad rhwng ein pen-blwyddi! Ond mwy am hynny nes mla'n.

Er ennill tair gwaith yn y Genedlaethol yn cystadlu fel boi soprano, 'nilles i 'riôd yn yr Urdd! Llyncu poeri ar lwyfan Brynaman yn 1963 o'dd yr agosa ddes i. Felly diolch am ddysgu fi shwt i golli!

Diolch am hafau hirfelyn tesog yn crafu tato i dri chant a hanner o wersyllwyr, cyn dychwelyd flwyddyn yn ddiweddarach yn wyliwr nos yn gweiddi ar blant; ymarfer da ar gyfer actio rhan fel Dai Sgaffalde! Diolch am helpu whythu can mil o falŵns, am fod yn rhan o ymgyrch £1 y pen ac am ddod i adnabod Ceredigion drwy fod yn Drefnydd Sir Aberteifi. Diolch am y fraint o ganu fersiwn wreiddiol 'Hei Mr Urdd' ac am y cyfle i feirniadu mewn eisteddfode lleol a chenedlaethol. Diolch am y cyfle i arwain yr Eisteddfod Genedlaethol.

Diolch Urdd am ffrindiau oes, rhai wedi'n gadel ond eraill yn dal i oliacicia'n ac oliacicio hyd heddi! OND mae'r diolch mwya i'r Urdd yn fwy na hyn i gyd!

Yn dilyn yr Ail Ryfel Byd, do'dd dim lot i'w wneud yng Nghwm Gwendraeth fel yng ngweddill Cymru! Ond mi ro'dd 'na aelwydydd. Mi ro'dd 'na dwmpathe dawns. Mi ro'dd 'na wersylloedd. Oherwydd yr Urdd y do'th Elsi Hannah Thomas o'r Hendy a Tomos Roy Evans o'r Tymbl at ei gilydd! Fe greon nhw Emyr Wyn Evans. Felly diolch i chi, Urdd Gobaith Cymru am fy modolaeth!

Fe'm ganwyd yn 1952. Ro'dd yr Urdd yn dri deg mlwydd oed! Eleni, dwi'n saith deg! Eleni mae'r Urdd yn gant! Pen-blwydd hapus i bawb!

Ymlaen!

Emyr Wyn

Ffion Dafis

Annwyl Urdd,

Do'n i ddim yn siŵr ohonat ti ar y dechrau. Roeddat ti'n
gofyn gymaint gen i. Mi orfodaist ti i mi aros yn nhai pobl
ddiarth mewn llefydd pellennig fel Maesteg a'r Drenewydd
a'm harteithio wrth fy neffro am bump y bore ar gyfer ryw
ragbrawf dawnsio gwerin o'n i'n casáu.

Mi wnest ti hyd yn oed wneud i mi anghofio fy ngeiriau
ar lwyfan Ysgol Dyffryn Nantlle a phawb yn chwerthin ar fy
mhen i. Faswn i wedi gallu dy dagu di am hynna, Urdd.

Ond wedyn mi gyflwynaist ti fi i Lan-llyn ac mi geraist
di efo bob tamaid o fy mod.

Mi wnest ti ddeud wrtha i bod 'na bobl fel fi yn y byd.

Ges i *lovebite* ar dy jeti yn y glaw. Diolch, Urdd.

Mi wnest ti'n siŵr mod i'n deall hiraeth. Gwir hiraeth am
ffrindiau newydd, epilogau ac aroglau siacedi achub llaith.

Ti reit arbennig 'sdi. Dim lot o bethau sy'n goroesi ac yn
esblygu fel chdi.

Ti'n wariar!

Gareth Potter

Prynhawn Sul dwetha, roeddwn i'n sefyll tu ôl i far o ddecs yn chwarae detholiad o ganeuon roc a hip hop drwy system sain uchel ym Mae Caerdydd. Roedd torf ifanc wedi ymgynnull o amgylch ramp anferth gerllaw Canolfan y Mileniwm. Roedd yr awyrgylch yn fyrlymus wrth i sglefrfyrddwyr a marchogion BMX sionc lansio'u hunain i lawr y ramp, lan i'r fertigol ac i mewn i'r awyr er mwyn hedfan am eiliad a throi fel gwenoliaid cyn plymio'n ôl i lawr wrth i sylwebydd cynhyrfus esbonio'r symudiadau amhosib yma uwchben y miwsig swnllyd.

Roedd popeth yn Gymraeg. Y miwsig, y sylwebaeth a'r dorf. Dyma Gemau Stryd yr Urdd 2022 ac mae'n teimlo'n bell iawn ers i mi ddechrau cystadlu yn Eisteddfodau Sir y mudiad yn adrodd neu'n canu'r unawd cerdd dant yn y saithdegau.

Eleni mae'r Urdd yn dathlu canmlwyddiant fel mudiad ieuenctid ac mae o mor fywiog a phwysig ag erioed. Ac mae'n parhau i fod yn ddylanwad anferth ar fy Nghymru i a'r ffordd yr ydw i a fy nghyd-Gymry'n byw ein bywydau.

Mae'n ddigon hawdd hiraethu am yr amser lle ges i lwyfan yn y 'Steddfod Cylch yng Nghaerffili; neu drwodd i'r Eisteddfod Sir gyda'r unawd dan bymtheg neu'r amser enillon ni yn Llangefni gyda'r ddeialog ddramatig; yr amserau yn Llangrannog neu Lan-llyn; neu pan aethom ni ar daith drwy Gymru gyda'r Cwmni Theatr; heb sôn am y nosweithiau yn sgwrsio a dawnsio yng Nghanolfan yr Urdd, Conway Road yn yr wythdegau cynnar. Y ffrindiau, y profiadau, yr atgofion...

Mae'r Urdd wedi bod yn rhan hollbwysig o fy Nghymru i mi, plentyn o deulu di-Gymraeg o gymoedd y De, ond mae hefyd wedi bod yn asgwrn cefn i'n gwlad gyfan. Mae'n cynnig gobaith i'n dyfodol a hwb i genedlaethau newydd er mwyn canu caneuon newydd ac i brofi perthnasau a chyfeillgarwch fydd yn mynd â Chymru mlaen at y ganrif nesaf.

22/12/20

Gwennan Harries

Annwyl Urdd,

Mae gen i gymaint o atgofion hapus o'r llu gweithgareddau
a'r rheiny'n rhoi'r cyfle i mi arbrofi, yn enwedig yn yr
ysgol gynradd. Atgyfnerthodd yr amrediad o glybiau a
chystadlaethau fy nghariad at chwaraeon ac wrth gwrs roedd
pêl-droed yn un o'r uchafbwyntiau mwyaf.

Rwyf wedi dewis tri atgof sydd wastad yn aros yn y cof
pan rwyf yn meddwl am yr Urdd. Yn gyntaf, cofiaf gael y cyfle i
fynd i wylio gêm bêl-droed yn Villa Park (Aston Villa v Spurs)
ble roedd cael bod yn rhan o dorf fawr yn sicr wedi tanio fy
mreuddwyd o gael chwarae pêl-droed ar y lefel uchaf.

Yr ail oedd cael y cyfle i chwarae yn fy nhwrnament
pêl-droed cyntaf erioed wrth gynrychioli'r ysgol (Ysgol Iolo
Morganwg) mewn cystadleuaeth ble roeddwn i'r unig ferch yn
chwarae.

Yn olaf, a'r profiad mwyaf diddorol a gwerthfawr, oedd
pan enillais gystadleuaeth adrodd yn yr ysgol gynradd
a thrwy hynny'n mynd ymlaen i gynrychioli'r ysgol yn yr
Eisteddfod Cylch. Wnes i erioed deimlo nerfau o'r blaen nac
wedyn fel y nerfau ar y llwyfan yna. Dysgodd y profiad yma
i mi fod angen buddsoddi amser ac ymarfer os am lwyddo. Ond
llawer pwysicach na hynny, dysgais ei bod hi'n llawer gwell i
mi sticio at chwaraeon!

Diolch Urdd am bob dim rydych chi wedi ei wneud, ac yn
parhau i wneud!
Gwennan

G. Harries

Heather Jones

Annwyl Urdd,

Diolch i ti am lawer o bethe gan ddechre yn Ysgol Ramadeg Cathays yng Nghaerdydd. Yno fe wnes i ymuno â'r Urdd i wella fy Nghymraeg. Mor browd! Roedd ymuno gyda'r Urdd yn golygu gallu cwrdd â merched oedd yn siarad Cymraeg yn rhugl. Ac yna aros am rywbeth sbeshal iawn – Y Bathodyn! Coch, gwyn a gwyrdd ar ffurf triongl. Ro'n i'n *Top Dog* yn gwisgo fy un i ac yn teimlo'n rhan o rywbeth arbennig.

Wedyn daeth y paratoi i ganu a phartïon cydadrodd ar gyfer yr Eisteddfod. Ro'n i'n hapus iawn i ddysgu 'Hon' a llu o ganeuon Cymraeg fel 'Aderyn Pur', 'Ar Lan y Môr' a 'Ji, ceffyl bach'. Ro'n i'n ffrindiau mawr efo tair merch, Mari Herbert, Siân Philips ac Eirlys Davies. Fe ffurfion ni grŵp o'r enw 'Y Cyfeillion' gyda'n gitârs. Ro'n i'n lwcus i ennill y gân bop yn Eisteddfod Caerfyrddin yn 1967 gyda chân gan fy ffrind, Geraint Jarman.

Roedd mynd i Langrannog yn bwysig i mi ac wedyn i Lan-llyn. Am le hudolus! Fy ffefryn am flynyddoedd. Yng Nglan-llyn fe gwrddes i â phobl ddifyr a thalentog fel Dafydd Iwan a Dewi Pws a'u clywed nhw'n canu. Yn ogystal â dysgu cordiau newydd ar y gitâr fe ges i amser da ar y llyn, yn y mynyddoedd, yn y caban coffi a *midnight feasts* yn yr ystafell wely!

Ro'n i'n caru'r lle gymaint es i yna ar ben fy hun i wella fy Nghymraeg. (Ac fe redes i bant unwaith, ond wna i ddim sôn am hwnna😊).

Wedyn daeth fy nhro i i roi rhywbeth yn ôl drwy ganu mewn nosweithie lu fel cantores broffesiynol a chyngherddau yn ystod gwahanol Eisteddfodau'r Urdd.

Diolch i ti'r Urdd am lenwi fy mywyd ac am fy rhoi i ar y llwybr iawn yn ôl yn y chwedegau.

Pob bendith,

x

Heather Jones. x

Llangrannog

Llangrannog

Caerdydd

Glan-llyn

Heledd Cynwal

Annwyl Urdd,

Yn gyntaf i gyd, ga i ddymuno pen-blwydd hapus iawn i ti ar gyrraedd dy ganmlwyddiant! Do'n i ddim yn siŵr beth i'w gael fel anrheg, felly dyma lythyr bach o ddiolch am roi cyment o brofiade GWYCH i fi ar hyd y blynydde.

Oni bai amdanat ti, bydden i heb gael y cyfle i fynd i Wersyll Llangrannog gydag Ysgol Coed y Gof, a chlywed T. Llew Jones yn adrodd stori ysbryd yn y ffreutur, a NEB yn dweud gair... dyna beth oedd dawn dweud! Mwynhau *midnight feasts* gyda ffrindie newydd, cystadlu yn erbyn ysgolion eraill o gwmpas y cwrs antur, cyn mentro i'r sied geffyle a mwynhau partneriaeth ddifyr gyda Garmon, ceffyl digon ufudd, whare teg!

Cyrraedd Ysgol Uwchradd Bro Myrddin, a Glan-llyn oedd yn galw wedyn... cysgu mewn bag bifi yn brofiad newydd, cwrdd â chriw grŵp Hanner Pei o Lantaf oedd yn gwerthu tapiau o'u halbwm cyntaf, a Llyn Tegid yn faes chwarae perffeth i fagu hyder.

Yn ogystal â'r gwersylla, roedd cyrsie drama, chwaraeon a cherddoriaeth o bob math, ac wrth gwrs, yr eisteddfod hefyd yn llwyddo i danio'r ysbryd ar sawl lefel. Dysgu darnau, cydweithio fel criw, dod i adnabod gwahanol ranne o Gymru, a dysgu ennill a cholli. Roedd y maes hefyd yn cynnig profiade ar wahân i gystadlu, ac yn Eisteddfod Dyffryn Nantlle yn 1990, fe gethon ni ein cyflwyno i fand newydd sbon oedd yn cystadlu yn y babell roc, Beganifs!

Mae'r hyn rwyt ti'n ei gynnig i blant a phobl ifanc drwy'r iaith Gymraeg yn anhygoel. Mae'n fudiad cynhwysol, blaengar a chyffrous a hyfryd yw gweld fy mhlant i bellach yn elwa o'r profiad o fod yn 'Ffrind i Mr Urdd'. Felly diolch am yr atgofion, diolch am y profiade, a diolch am barhau i ysbrydoli cenedl.

YMLAEN!

Heleld Cernwal

Huw Stephens

Roedd Canolfan yr Urdd ar Conway Road yng Nghaerdydd yn un wych. Ddim yn wych o'i chymharu â Llangrannog neu Glan-llyn falle, na'r ganolfan newydd sgleiniog sydd bellach lawr ym Mae Caerdydd, ond bob nos Fawrth ar ôl ysgol, roedd yr hen adeilad brics coch yn teimlo fel y lle gore yn y byd.

Tyc-shop, i ddefnyddio'r enw cywir, lawr staer, oedd yn gwerthu lolipops a chreision a phop glas, a gofod enfawr lan lofft oedd yn berffaith i ni hollti mewn i grwpiau a chwrdd â phlant bach eraill swil neu swnllyd: profiadau fydd yn aros yn y cof am byth.

Roedd Sian Lewis, sydd erbyn hyn wrth gwrs wedi priodi Mr Urdd, yn un o'r swyddogion cyfeillgar, ysbrydoledig oedd yn edrych ar ein hôl ni ar y pryd. Mae'n rhyfedd meddwl, er ei bod hi a'i chyd-swyddogion yn edrych ar ein holau ni yn wych, roedd rhan ohoni mewn gwirionedd yn meddwl sut i GYMRYD Y CYFAN DROSODD. Anhygoel!

Yn Llangrannog glywes i record gan Geraint Jarman am y tro cyntaf; fi'n cofio'r union eiliad, yn y disgo. Beth oedd y sŵn pleserus yma, y llais hamddenol, a pham bod e'n canu am dracsiwt gwyrdd?

Dyna oedd, ac yw, hud a lledrith yr Urdd. Ein croesawu mewn i fyd sydd wedi bod yn aros amdanom. Cymru, ein gwlad, a'n diwylliant. Gweld y byd mewn lliw.

Yn gig yr Urdd ym Mhontypridd weles i fand ifanc o'r enw Stereophonics yn dechre'r noson cyn i Anweledig hedleinio.

Ar Ynys Enlli, yn yr eira, ges i wythnos fythgofiadwy gyda ffrindie, diolch i'r Urdd.

Y fraint fwyaf i fi oedd bod yn Llywydd y Dydd yn Eisteddfod yr Urdd Caerdydd yn 2019.

Diolch Mr Urdd a dy holl ffrindie ar hyd y blynyddoedd am roi gwên ar ein hwynebe, am ddal ein dwylo a'n hannog, ac am agor drysau oedd yn syth o'n blaenau.

Huw Stephens

Hywel Pitts

Annwyl Urdd,

Ro'n i'n blentyn hynod o swil. Pan o'n i'n wyth oed, mi ges
i hyfforddiant gan Mam i fy mharatoi i gystadlu yn fy
eisteddfod gyntaf. Ar ôl misoedd o dynnu ystumiau a dysgu
geiriau a sefyll yn syth fel procer ar ben crât llefrith ben i
waered yn fy stafell wely, mi ddoth y diwrnod mawr. Roedd un
hogyn arall yn cystadlu, ac ro'n i mor nerfus wnes i lanast
llwyr ohoni a dod yn drydydd. Allan o ddau.

Colli wnes i bob tro wnes i gystadlu a dweud y gwir. Dyna
dwi'n ei gofio orau. Dim y canŵio yng Nglan-llyn, na'r dringo
yn Llangrannog, na hyd yn oed cael casét wedi ei lofnodi gan
Eden yn Eisteddfod Llŷn 1998 (ac ro'n i'n rîli ffansïo Rachael
ar y pryd.) Na, y peth amlycaf yn fy nghof ydi dod yn olaf,
drosodd a throsodd.

Ydi, mae ennill yn deimlad braf (yn ôl pob tebyg); ond
drwy ennill dro ar ôl tro rydyn ni'n troi'n hunanfodlon a
hunandybus. Mae colli, ar y llaw arall, yn gyfle i ddysgu, i
wella, i aeddfedu. Mae'n ein paratoi ar gyfer y byd go iawn,
lle nad yw pethau o reidrwydd yn mynd o'n plaid ni. Mae hyder
a chryfder meddyliol yn dod o sylweddoli nad yw'r byd yn dod
i ben ar ôl i ni golli.

Mae degau ar filoedd yn cystadlu yn Eisteddfodau'r
Urdd, a dim ond llond llaw sy'n ennill. Felly hoffwn ddweud,
ar ran y *losers* eraill i gyd: diolch o galon i'r Urdd a'i
chystadlaethau, am ein gwneud yn genedl mor gall a chlên a
diymhongar. Diolch i chi, ni'r Cymry yw'r bobl fwyaf *humble* yn
y byd; ac felly, yn amlwg y bobl orau.

Cariad mawr,
Hywel Pitts

Ian Gwyn Hughes

Annwyl Urdd,

Flynyddoedd yn ôl, yn 1976 a bod yn fanwl, wrth gystadlu yn
rownd derfynol y Cwis Llyfrau yn Llangrannog, mi gefais
gynnig gan y Pennaeth ar y pryd, John Japheth i ymuno gyda
staff haf y gwersyll. Yno y bues i bob haf o gychwyn Mehefin
tan ganol Medi am chwe blynedd yn gweithio naill ai yn y siop
neu yn y swyddfa.

Ac yna ym mis Awst 1980 mi wnes i gyfarfod â fy ngwraig
Elspeth. Mi oedd hi yno am bythefnos fel swog ar ôl Eisteddfod
Dyffryn Lliw yn Abertawe. A dweud y gwir mi oeddwn i wedi ei
chyfarfod hi'r flwyddyn cynt ond roeddwn i braidd yn ara!

Dros y tair blynedd diwetha mi rydw i wedi bod yn ôl
i Langrannog ar wyliau gyda fy nheulu gan gynnwys y ddwy
wyres fach, Ffion sy'n saith a Cadi sy'n bedair.

Mae o'n brofiad anhygoel bod yno gyda'r ddwy fach a
theimlo bob math o emosiynau gyda nhw. Hynny'n enwedig wrth
sylweddoli eleni fod Beth a fi yn Llangrannog gyda nhw union
ddeugain mlynedd i'r dydd i ni gyfarfod. Anhygoel rili!

Ian Gye Hughes

Ifor ap Glyn

Annwyl Urdd,

Doedd yr Urdd ddim yn rhan o 'magwraeth i yn Llundain. Ond
roedd criw ohonon ni, a oedd yn cyfarfod bob nos Wener yng
nghlwb Cymry Llundain yn Grays Inn Road, wedi penderfynu
un haf y byddai'n braf cael gwyliau hefo'n gilydd – ac aeth
deg ohonom i Wersyll Glan-llyn ar gyfer wythnos dysgwyr
yn 1977. Er bod rhieni pawb yn medru'r Gymraeg, dim ond tri
ohonon ni oedd wedi ein magu i siarad yr iaith. Ac er 'mod i'n
un o'r siaradwyr 'rhugl', digon clapiog oedd fy iaith innau
a dweud y gwir, yn frith o ryw frawddegau fel 'ga'i wotsio'r
ffwtbol ar y telefision?' ac yn y blaen. Ond roedd clywed y
swyddogion ifanc yn defnyddio iaith fwy rywiog yn y gwersyll
yn symbyliad imi wneud mwy o ymdrech hefo 'Nghymraeg – ac ar
ôl bod yng Nglan-llyn, wnes i danysgrifio i *Y Faner* (ia, dwi'n
gwybod fod hynny'n swnio'n wïyrd) a byddwn i'n ei darllen ar y
tiwb i'r ysgol (sydd ella'n swnio'n fwy wïyrd byth!)

Wnes i fwynhau cymaint yng Nglan-llyn, wnes i ddechrau
gwirfoddoli yno fel swog wedyn, bob haf am ryw bum mlynedd.
Erbyn hynny, ro'n i yn y coleg yng Nghaerdydd, ac yn troi
mewn cylchoedd tipyn Cymreiciach – ac ro'n i'n synhwyro fod
rhai o'm ffrindiau newydd yn wfftio at yr Urdd braidd, fel
mudiad 'dosbarth canol'. Nid dyna 'mhrofiad i fodd bynnag, yn
y gwersyll bob haf lle ces i gwmni swyddogion o sawl cefndir –
gweithiwr dur o Port Talbot, *Welsh Guardsman* o 'Stiniog ac yn
y blaen.

Bid a fo am hynny, roedd yr wythnos gyntaf honno yn haf
'77, gyda 'Halen y Ddaear' Injaroc yn ein deffro bob bore, ac
'Ambiwlans' Geraint Jarman yn cloi disgo'r nos, yn drobwynt
yn fy mywyd, a diolch i'r Urdd am hynny. Dwi'm yn amau y basa
'mywyd wedi dilyn trywydd gwahanol a mwy Llundeinig, oni
bai amdani.

Jason Mohammad

Annwyl Urdd,

Hoffwn ddiolch i Mr Urdd am fy nhaith gyntaf erioed i Langrannog pan oeddwn yn yr ysgol gynradd yng Nghaerdydd. Dwi'n cofio'r daith honno'n dda iawn, roedd hi'n oer iawn, yn brofiad cyffrous ond yn bwysicach na hynny, dyna ble ges i fy mhrofiad cyntaf o wneud yn siŵr 'mod i'n defnyddio'r Gymraeg gymaint â phosib.

Nawr, bron i dri deg wyth mlynedd yn ddiweddarach, dwi'n falch iawn o ddweud bod fy mab yn chwarae pêl-droed i'r Urdd yng Nghaerdydd ac mae fy mhlant yn cystadlu yn yr eisteddfod bob blwyddyn. Yn wir, mae'n un o uchafbwyntiau ein blwyddyn ni fel teulu. Yr ydym hefyd wedi cael digon o lwyddiant ar y llwyfan!

Felly, diolch i'r Urdd am fy helpu gyda fy Nghymraeg ac am ddatblygu hyder fy mhlant ar y llwyfan yn y byd perfformio.

Dwi'n siŵr, pa lwyddiant bynnag ddaw iddyn nhw yn y dyfodol, y bydd eu hamser yn yr Urdd wedi chwarae rhan bwysig.

Diolch o galon,
Jason

Laura McAllister

Dychmygwch yr olygfa:

Neuadd y Dref Maesteg, Cwm Llynfi.

Y digwyddiad: Eisteddfod yr Urdd. Neuadd lawn i'r ymylon o bobl leol a phobl wedi dod o bell.

Fi: Laura McAllister. Sefyll yng nghanol y llwyfan yn barod i ganu a dydw i ddim yn berfformiwr naturiol o bell ffordd!

Rwy'n aros am nodyn cyntaf y piano i fi gael dechrau canu. Rwy'n ei glywed ond rwy'n mynd i banig llwyr ac yn ei golli. Rwy'n aros eto ac mae'r pianydd amyneddgar yn chwarae'r nodyn unwaith eto ond na, erbyn hyn, mae arswyd y llwyfan wedi fy meddiannu.

Mae'n rhaid i fy athrawes fy achub.

Y peth gorau i mi wneud yw sticio at chwaraeon o hyn ymlaen dwi'n credu...

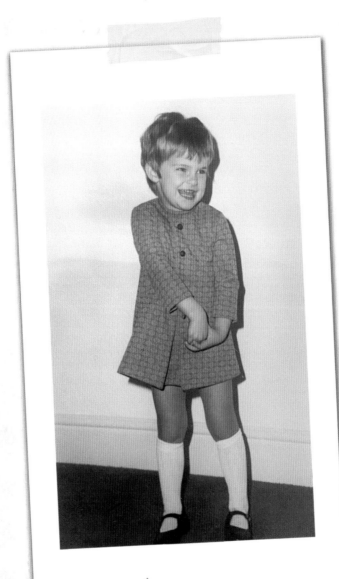

C. McAlwh

Lauren Morais

Annwyl Urdd,

Teits melyn... teits melyn; atgof llachar fyddwn i'n dweud, ond hefyd fy atgof cyntaf o'r Urdd.

Yn dilyn *debut* fy nghoesau lemwn, crëwyd atgofion llachar a wnaeth greu pelydr disglair i fy nyfodol. Dyfodol llawn cyfleoedd bythgofiadwy, aur. Dyfodol llawn pobl y gallaf eu disgrifio fel yr haul ei hun. Dyfodol llawn *karaoke*, o'n i'n gwbl barod amdano! Dyfodol sy'n dal yn gwreichioni nawr.

Diolch am yr atgofion heulog hyd yn oed pan o'n i'n gwisgo fy *wellies* pinc. Efallai na fyddaf yn gwisgo teits melyn eto, ond dwi'n gwybod y byddaf yn gwisgo yr atgofion melyn, llachar, disglair a roddaist ti i fi.

Lauren Morais

O.N. Paid byth dweud 'na' i deits melyn!

Llŷr Gwyn Lewis

Annwyl Urdd,

Ymhle mae dechrau? Efo'r ddwy seremoni fythgofiadwy hynny nôl yn 2010 a 2011 yn Llanerchaeron ac yn Abertawe o bosib. Ond er mor arbennig oedd cael fy nghadeirio, pwysicach efallai i'm datblygiad i fel sgwennwr oedd cael mynd o 'ngwobr at fy ngwaith a dechrau dysgu o ddifri ar gwrs yn Nhŷ Newydd – a ddaeth i gael ei alw'n Gwrs Olwen yn ddiweddarach er cof am y ddiweddar annwyl Olwen Dafydd a fu'n gymaint rhan o ysbryd y tŷ a'r trefnu a'r croeso – dan arweiniad llwyth o awduron a mentoriaid gwych.

I mi mae'r cwrs hwn yn un enghraifft i nodweddu'r hyn sy mor wych am yr Urdd, sef y cyfleoedd dirifedi gaiff rhywun i drio'i law ar lwyth o bethau gwahanol. Methu'n ddybryd fu fy hanes i ar y rhan fwya ohonyn nhw, ond wedyn dyma ddod i fwynhau ambell un yn arw, a dal ati â nhw. O actio ymgom yn fy nhrôns yn y Steddfod Sir, i gleisio 'mhen-ôl ar lethr sgio Llangrannog; o bartïon cerdd dant Ysgol y Gelli i gyflwyniadau llafar Glanaethwy; o ennill yr adrodd dan bump yn y Steddfod Gylch efo darn o'r enw 'Nefi Bliw!' i gyrraedd gwaelod y trydydd dosbarth yn y Fedal Ddrama; yn rhan fechan o griw mawr llawn hwyl a chwerthin, neu dro arall ar fy mhen fy hun bach. Dysgais sut i roi cynnig arni; dysgais sut i gymryd colli efo gwên, a sut i ennill efo dos iach o ddiolchgarwch a gwyleidd-dra, gobeithio. Dysgais sut i ddal ati efo rhywbeth, a gwella fesul ychydig.

O ia – ac mi ddysgais hefyd sut i osgoi erledigaeth y gwylwyr nos ar y naill du a'r 'Pink Lady' ar y llaw arall, wrth drio dod o hyd i ba stafell wely bynnag yng Nglan-llyn lle roedd y *midnight feast* ar ei hanterth. Diolch, Urdd!

Llŷr

Mared Williams

Annwyl Urdd,

O'r Eisteddfod Gylch i'r Eisteddfod Sir,
Wedi dy nabod ers amser hir,
O barti llefaru i alaw werin,
I ganu 'fo cyfeiliant telyn.

O'r llwyfan cyntaf un, a'r atgofion melys yn chwarae'r
Dewin Doeth yn sioe agoriadol Conwy ym mlwyddyn 6, hyd at
deithio Cymru, cân actol, lot o ddathlu a chasglu *freebies* o'r
stondinau.

Doeddwn i ddim yn sylweddoli faint o effaith gafodd
Eisteddfod yr Urdd arna i, tan i mi fynd yn hŷn. Dyma
blatfform cadarn i ieuenctid Cymru sydd eisiau perfformio a
chymdeithasu. Mae rhestr y profiadau yn ddiddiwedd. Ymysg yr
uchafbwyntiau mae'r tripiau i Lan-llyn, canu efo côr gospel
ar-lein, a chael ysgrifennu trefniant o emyn traddodiadol.

Diolch am yr atgofion, yr hwyl, y nerfau a'r rhwydwaith
perffaith i deimlo effaith cymuned leol a chenedlaethol
Cymru.

Mared x

Mari Lovgreen

Annwyl Urdd,

Mae gen i gymaint o atgofion, mae'n anodd gwybod lle i ddechrau!

Fel plentyn mi ro'n i wrth fy modd yn crwydro'r maes yn hel *freebies* a llofnodion a stwffio fy ngwyneb efo losin hudolus nes o'n i'n swp sâl. Mae gen i go' o fynd i aros at deulu yn y de yn rhywle (Daearyddiaeth 'rioed 'di bod yn *strong point*, sori). Dwi'n cofio teimlo mor annibynnol yn cael mynd heb Mam a Dad a'r wefr o wneud ffrindiau newydd mewn ardal ddiarth.

Ond, er yr holl atgofion melys, y prif atgof ddoth i'r meddwl yn syth oedd... CAEL CAM! Yndw, dwi'n un o'r rheina. 'Nes i rywsut lwyddo i gyrraedd y Genedlaethol efo'r unawd dan wyth. Wna i byth anghofio'r teimlad o ennill yn y Sir yn canu am 'Y Syrcas'. Camp a hanner! Cyrhaeddodd y diwrnod mawr ond yn anffodus, dim lwc yn cyrraedd y llwyfan. Nain yn rhoi bai ar Mam am fynd â fi i lan y môr diwrnod cynt, oedd wedi achosi i mi gael mymryn o annwyd. Do'n i na Nain yn hapus... o gwbl! (Er, mi 'nes i ffeindio allan flynyddoedd wedyn mai'r tair gyrhaeddodd y llwyfan oedd Mari Grug, Elin Llwyd ac Elin Fflur. Ella na ches i gam wedi'r cwbl!)

Yn ddiweddar, dwi wedi bod yn ddigon lwcus i gael cyflwyno o'r Eisteddfod sydd wedi gwneud i fi fyrstio efo balchder. Balchder dros yr iaith, ein diwylliant a bob dim sy'n ein gwneud ni'n arbennig fel Cymry. Mae cael dathlu efo'n plant a'n pobl ifanc dalentog ni yn *buzz* go iawn!

Urdd, mae hi mor, mor braf dy weld yn mynd o nerth i nerth – mae dy ddyfodol di'n reit saff fyswn i'n deud!

Diolch am bob dim – mae hwyl i'w gael bob amser yn dy gwmniiiiiiiii!

Tan tro nesa,

Mari x

Mari
x

Mark Drakeford

Annwyl Urdd,

Mae fy mhrif atgof o'r Urdd yn fy nghludo i i ffwrdd o Gymru ac i ganol dinas Oslo yn Norwy. Eleni, ces i'r fraint o gael fy ngwahodd i lansiad 100fed Neges Heddwch ac Ewyllys Da yr Urdd i'r Byd gan bobl ifanc Cymru.

Ar fore twym yn Sgwâr Neuadd y Ddinas Oslo, ces i'r fraint o weld aelodau'r Urdd o Brifysgol Aberystwyth wedi ymgynnull yn y lleoliad eiconig hwnnw sy'n enwog ledled y byd – sef Canolfan Heddwch Nobel. Roedd adeilad sy'n dathlu'r rhai sydd wedi gweithio i wella ein byd a'i wneud yn fwy heddychol bellach yn cynnig platfform i sicrhau bod y byd yn clywed llais pobl ifanc Cymru.

Heb unrhyw amheuaeth cawson ein hysbrydoli'r bore hwnnw! Roedd yn hyfryd clywed pobl ifanc o'n gwlad ni yn rhannu neges am newid hinsawdd i'r byd mewn dros gant o ieithoedd. Clywon ni hefyd gan fyfyrwyr o Norwy a oedd wedi cymryd rhan, ac wedi datblygu cysylltiad â Chymru drwy'r Urdd.

Ces i'r fraint o annerch y gynulleidfa, a siaradais i am bwysigrwydd y neges hon, ar adeg pan fydd dod ynghyd mor bwysig, yn yr un ffordd ag roedd yr Urdd yn ceisio dod â phobl at ei gilydd yn y blynyddoedd ar ôl y Rhyfel Byd Cyntaf.

Cafodd y neges ei darllen a'i chanu yn Gymraeg, ac roedd sŵn y Gymraeg yn llenwi'r lle – ac yn gorlifo i strydoedd Oslo. Profiad arbennig oedd clywed enw ein gwlad, ein pobl ifanc a'r Gymraeg ar strydoedd ein cymdogion Ewropeaidd.

Bydd yr achlysur hwn yn parhau'n destun balchder i mi a fy nghysylltiad â'r Urdd. Roedd yn sicr yn symbol o'r gwerthoedd rydyn ni'n eu rhannu, ein hiaith, ein cymunedau a chenedlaethau'r dyfodol, a'r ffordd rydyn ni'n gallu dod ynghyd i wneud gwahaniaeth.

Dymuniadau gorau,
Mark Drakeford

Mark Drakeford

Matthew Rhys

Mae fe'n reit anodd crynhoi mewn ychydig eiriau sut beth oedd
y profiad cyntaf o fod yng Ngwersyll yr Urdd, Llangrannog.
O'dd e'n brofiad mawr, achos i ryw raddau, o'dd e'n brofiad
cyntaf mewn sawl ffordd. Hwn oedd y tro cyntaf i fi fod ffwrdd
o adre, yn cysgu mewn caban gyda ffrindiau, yn arbrofi a
blasu'r gweithgareddau anturus. O'n i yn fy elfen.

O'dd sawl profiad mawr cyntaf a dweud y gwir, a falle i
fi, yr atgof mwyaf, heblaw am y Swogs o'n i wedi cwympo mewn
cariad gyda nhw, odd y Black Nun, ife? Black Nun odd e?! Wy'n
colli 'nghof nawr! Ond ie, achos dwi'n cofio'n iawn ges i ofn y
noson gyntaf, o'n i methu cysgu!

Yr hyn sydd wedi aros gyda fi hyd heddiw yw'r profiadau
ges i yn cymdeithasu gyda phlant o ysgolion eraill
neu ardaloedd, rhanbarthau eraill o Gymru, a gweld yn
Llangrannog y byd mwy eang o Gymry Cymraeg. Mae hyn yn
swnio'n hurt nawr, ond 'nes i ddod i adnabod gymaint o blant o
wahanol lefydd dros Gymru a siarad Cymraeg gyda nhw. Hwnna
odd y gwir agoriad llygad i fi sef bod y gymdeithas Gymraeg
yn lot fwy eang nag o'n i'n arfer meddwl bod hi. Dyna fy atgof
mwyaf ac mae'n debyg yr argraff fwyaf adawodd fy nhro cyntaf i
yn Llangrannog arna i. Dyddiau melys iawn.

Matthew Rhys

Mererid Hopwood

Rwy'n falch nad yw'r golygydd wedi gofyn i ni flaenoriaethu'r ffyrdd y mae'r Urdd wedi cyffwrdd ynom. Byddai hynny wedi bod yn amhosib. Y cyfle i ddysgu talpiau o gerddi ar gof a chadw, y cyfle i fentro sefyll ar lwyfan a chyfleu llinellau i gynulleidfa, y cyfle i berfformio mewn cwmni drama, côr, parti cerdd dant, y cyfle i feddwl ein bod ni'n cŵl a chreu grŵp pop a'r cyfle i wneud ffrindiau o bob cwr o Gymru... ac yna, fel oedolyn, y cyfle i gyd-redeg Adran ac Aelwyd a dod i adnabod plantos a rhieni newydd. Byddai dewis rhwng hyn a llawer mwy wedi bod yn benbleth a hanner.

Ond gan fy mod wedi canfod y llun hwn yn ddiweddar, dyma setlo'r mater. Byddwn i'n defnyddio'r gofod hwn i ddiolch am y gwersylla.

Roedd fy nyddiau cyntaf i yn Llangrannog yn cyd-daro gyda dyddiau olaf y cabanau pren a'r pebyll, a chyn pwll nofio a sgio, un o weithgareddau'r dydd oedd cystadleuaeth y wisg ffansi. Dyma sydd yn y llun. Ond pwy yn y byd mawr yr ydym ni'n ceisio bod?!... Yn ôl yng nghanol y 70au, ymhell cyn dyddiau *Frozen* a *Spiderman*, y gyfres deledu oedd *Enoc Huws*. Ac ie, Mari Emlyn fwstashog yw Mr Huws, a minnau – wedi fy mhesgi â phob math o eitemau o dan fy nghardigan – yw ei wraig. Mae'n hawdd gweld pwy fyddai'n datblygu'n actores!

Chofia' i ddim beth oedd hanes y gystadleuaeth. Go brin ein bod wedi ennill! Ond galla' i fod yn sicr y byddem ni'r noson honno wedi ymgynnull am Epilog ac y byddai 'Nefol Dad' wedi codi hiraeth arna' i. Mae'n dal i wneud. Ac wrth ysgrifennu hwn, rywsut mae'r un angen i lyncu'n galed yn dod drosto' i wrth ddiolch i'r Urdd – Diolch am bopeth.

Meirid Hopwood

Mici Plwm

Ar wahân i fwynhau'r gwahanol weithgareddau dyddiol yng Nglan-llyn, roedd gorchestion hwyrol rhai o'r swogs bron gyfystyr â manwfyrs Comandos yr SAS!

Gwibio mewn motor cyflym o Lan-llyn i Langrannog (ac yn ôl!) gan drafod ar y daith beth fydden ni yn ei gipio wedi cyrraedd.

Tra byddai swogs a gwersyllwyr Llangrannog yn cysgu'n sownd yn y pebyll a'r cabanau fe fyddai swogs Glan-llyn wedi cipio pob cyllell a fforc a llwy o'r Caban Bwyta a'u cyrchu i'r Bala! Roedd staff y gegin mewn penbleth enfawr drannoeth wrth iddynt baratoi brecwast i ddau gant a mwy o wersyllwyr ond heb gelficyn yno ar gyfer y bwyta!

Un noson hynod stormus a thywyll, dyma Dafydd 'Miaw' Owen a finnau yn anelu trwyn fy MGB GT gwyn o'r Bala i Langrannog gyda bwriad i wneud rhywbeth nas cyflawnwyd erioed o'r blaen, sef cipio, nid offer y gwersyll, ond un o'r swogs. Trwy ddirgel ffyrdd roeddem wedi medru sicrhau rhestr o enwau pwy oedd y swogs ar ddyletswydd ac felly yn medru penderfynu ar ein targed.

Wedi taith hwylus ddiffwdan traws gwlad fe ddaeth yn amser troi o'r A487 a thrwy Fryn Hoffnant ac i'r gwersyll. Roedd y swogs i gyd wrthi'n yfed coffi cyn noswylio ac fe gawsom groeso mawr ganddynt wedi i Dafydd 'Miaw' roi hanes celwyddog bod trafferthion hefo injan y motor ac roedd gwrthrych y manwfyr sef Selwyn 'Socs' Y Siswrn Evans ac ambell i swog arall wedi llyncu ein stori i wthio'r motor a'i gael i gychwyn eto.

Taranu yn ôl am Lan-llyn oedd hi wedyn gyda Sel yn ddiogel yn y cefn, ac i ni ei oleuo yn Synod Inn ei fod bellach yn garcharor Byddin Caethiwo Swogs Glan-llyn!

Ia, dyna chi! Yng ngwersyll Glan-llyn y cafodd Sel ei frecwast drannoeth!

Myrddin ap Dafydd

Annwyl Urdd,

Y peth cyntaf ddysgais i yng ngwersyll Llangrannog oedd ei
bod hi'n iawn i ddynion Cymraeg yn eu hoed a'u hamser wisgo
trowsus cwta. Mae'n siŵr nad oeddwn i erioed wedi gweld
hynny o'r blaen, ac mae hynny'n dweud rhywbeth am brofiadau
hogyn deg oed yn 1966. Ar ben hynny, roedd y dynion rhyfedd
yma – 'Swogs' – yn deud jôcs, yn tynnu coes, yn dy holi o ble
roeddet ti'n dod ac yn canu dros y lle am ddim rheswm yn y byd.
  Mi gefais i fy ngalw'n 'Gog' am y tro cyntaf gan un
ohonyn nhw. Doeddwn i erioed wedi chwarae rygbi cyn
hynny ond dyma ymuno mewn gêm am y tro cyntaf erioed yn
y gwersyll. Doedd ceisio dilyn delweddau llwydaidd gêm
ryngwladol ar deledu du a gwyn tŷ Nain ddim wedi fy mharatoi
ar gyfer y sgrym gyntaf. Rywsut neu'i gilydd, mi es i o safle
blaenasgellwr fy nhîm fy hun, drwy dwnnel o goesau ac allan
heibio traed wythwr y gelyn efo'r bêl yn fy mreichiau. Dim
rhyfedd i'r Swog oedd yn ceisio cadw trefn arnon ni weiddi'r
enw arna i.
  Ond yr hyn sy'n aros yn fy nghof ydi cyfarfod
tafodieithoedd Cymru gyfan. Roedd yn llawer mwy cymhleth
na 'Gog' a 'Hwntw'. Llawer mwy cyfoethog hefyd. Mi holais
i un ferch dair gwaith o ble'r oedd hi'n dod. 'Nunlla' oedd
ei hateb hi bob tro i fy nghlust i – nes imi sylweddoli mai
'Nantlle' roedd hi'n ei ddweud. Cwilt amryliw'r iaith o bob
cwr o Gymru, a'r pleser o ddod i nabod y cyfan – dyna ges i yn y
gwersylloedd. Diolch!

Myrddin ap Dafydd

Nic Parry

Annwyl Urdd,

Dim ond nodyn bach i ddweud eto, ar ôl bron i drigain mlynedd, fod gen ti le arbennig iawn yn fy nghalon o hyd.

Anghofia i fyth y profiadau yn dy gwmni – y fraint o arwain gweithgareddau llwyfan sawl un o dy Eisteddfodau Cenedlaethol, cael cyflwyno rhaglenni byw S4C o'th arlwy droeon a chael bod yn Llywydd dy Eisteddfod yn sir fy mebyd yn 2013.

Ond y dyddiau cynnar oedd y gorau, ynte? Y profiad fel cystadleuwr ysgol gynradd yng nghaneuon actol fy nhad, prifathro Ysgol Glanrafon, Yr Wyddgrug. Y rheiny oedd uchafbwynt fy mlwyddyn. Roedd Dad yn bencampwr creu'r caneuon actol ar gyfer dy Eisteddfod, ar y cyd efo athrylith cerddorol ei ddirprwy, y diweddar Robin James Jones. Buom yn llwyddiannus yn y Genedlaethol droeon a phob buddugoliaeth yn ein dwyn ni'n dau yn nes at ein gilydd.

Fe welaist fi mewn sawl gwisg, ambell waith yn gwisgo dim ond 'chydig iawn, ond mae un ddelwedd ohonot ti sy'n dod i'r cof bob tro y clywaf dy enw – llun *brillo pad*. Sori os ydy hynny yn llai rhamantus nag oeddet ti wedi ei obeithio! Actio morgrug mewn cân actol ar y testun 'Culwch ag Olwen' oedden ni, yn casglu pob hedyn o'r cae i achub Olwen. Ac ie, *brillo pads* oedd yr hadau! Ninnau'r plant ar ein pedwar yn mynd yn ôl a blaen hyd y llwyfan mawr yn casglu ac yn canu ei hochr hi, a'r morgrugyn bach cloff yn hercian i ddod â'r hedyn olaf i'r 'sgubor, eiliadau cyn ei bod yn rhy hwyr ar Olwen!

Ti oedd fy Olwen i bryd hynny. Fe fuost fyth wedyn. Fe dyfodd yr hedyn bach yn rhan mawr ohona i, un y bydda i'n fythol ddiolchgar amdano. Ac, ocê, do, fe lwyddaist i aros tipyn ieuengach na fi!

Non Parry

Annwyl Urdd,

Nodyn bach i ddiolch ar ran merch fach sydd wedi dioddef o or-bryder a diffyg hunanhyder. Dyma ferch sydd yn aml yn teimlo'n unig iawn oherwydd ei bod hi'n teimlo'n wahanol i bobol eraill, dim cweit digon da. Mae'r hyfforddiant mae hi wedi cael i gystadlu hefo'r Urdd wedi bod yn amhrisiadwy am sawl rheswm. Do, mae hi wedi cael y profiad anhygoel o gael perfformio ar lwyfannau bach a mawr dros Gymru gyfan sy'n ffantasig achos canu yw ei 'pheth' hi, ond yn fwy na hynny mae'r cyfleoedd yma wedi gneud iddi deimlo'n bwysig am y tro cyntaf. Nid oherwydd ei bod hi wedi ennill neu hyd yn oed cyrraedd y llwyfan yn aml iawn (mae angen iddi ddysgu lliwio chydig yn well!) OND oherwydd bod y blynyddoedd mae hi wedi'u treulio jysd yn crwydro'r maes yn casglu sticeri a llofnodion gan enwogion Cymru hefo ffrindiau, cwrdd â ffrindiau newydd a threulio amser mewn ardaloedd hyfryd a hollol newydd, wedi gwneud iddi deimlo'n bwysig yn y byd 'ma. Ac mae'n bwysig i blant deimlo'n bwysig.

Felly diolch ENFAWR i'r Urdd gan Non Parry – sydd rŵan yn bedwar deg wyth mlwydd oed (ac yn dal i ganu!)

Cariad mawr,

Non xxx

Osian Huw Williams

Annwyl Urdd,

Fy atgof cyntaf o'r Urdd, mae'n siŵr, ydi ymarfer rhyw barti neu gôr am oriau nes i ni ganu'n gywir! Er bod hyn yn llafurus ar brydiau, roedd yn wers dda mewn hunanreolaeth a dangos fod angen i bawb dynnu eu pwysau os am lwyddo (neu os oedden ni isio mynd allan i chwarae yn gynt).

Wedyn cyrraedd yr eisteddfodau a gorfod gwisgo trowsus du, esgidiau du, crys gwyn a thei bach gwyrdd a coch, oedd yn edrychiad reit smart mae'n rhaid i fi ddweud! Yn ddiweddarach dyma Adran Llanuwchllyn yn penderfynu cael y crysau-T mwyaf melyn llachar oedd yn bosib. Mi roedden ni'n meddwl ein bod ni mor cŵl, ond dwi'n siŵr mai tacteg gan yr athrawon oedd hyn i beidio ein colli ni ar faes y 'Steddfod!

Un atgof clir sydd gen i ydi cael mynd i aros hefo teulu yn y de am ryw ddwy noson. I blant heddiw mae'r syniad yma yn wallgo' mae'n siŵr, ond mi roedden ni wrth ein boddau'n cael trip a chael cwrdd â phobl newydd. Dyma fi a'n ffrind, Iolo Gwyn Jones yn aros hefo'n gilydd un flwyddyn ac wedi swper ar y noson gyntaf, sylwi nad oedd gan y teulu deledu! Mae'r syniad rŵan o beidio cael teledu yn nefoedd, ond yn ddeg oed, doedd y peth ddim yn iawn! Be oedden ni'n dau'n mynd i neud trwy'r nos?! Mynd i fyny i'n gwlâu yn gynnar wnaethon ni a pheidio cysgu tan oriau mân y bore yn trafod holl ferched yr ysgol.

Mae'r holl brofiadau yma o rannu tŷ hefo pobl ddiarth, i fod yn canu ar lwyfan enfawr ers yn ddim o beth wedi fy siapio i i fod yn pwy ydw i heddiw. Mae'n magu hyder distaw o fewn rhywun ac yn tanlinellu nad ennill sy'n bwysig bob tro mewn bywyd.

Diolch am bob dim,
Osian Huw Williams

Rhuanedd Richards

Annwyl Urdd,

Bob nos Iau, yn adeilad yr hen gapel ar Wind Street, Aberdâr, roeddech chi'n rhoi hafan i ni. Yno byddem ni'n cwrdd, yn griw o ffrindiau dedwydd yn yr wythdegau, gyda'n 10c i brynu creision a'n 15c am botel o bop. Byddai Bando ac Edward H i'w clywed o'r casét, a'r neuadd yn llawn chwerthin a sgwrsio a chanu yn y Gymraeg.

Dim ond un o bob rhyw ddwsin o'r rheini fyddai'n cwrdd yn wythnosol yn yr Aelwyd fyddai'n dod o gartref lle roedd yna unrhyw fath o ddwyieithrwydd, ond diolch i ymroddiad eich staff a'ch gwirfoddolwyr, cawsom ofod i gymdeithasu, i fod yn ddrygionus, i gael hwyl, ac i greu atgofion yn y Gymraeg.

Fuoch chi erioed yn fudiad i eithrio'r rheini nad oedd yn medru'r iaith. I'r gwrthwyneb, ychydig o filltiroedd o'n haelwyd, ym mhentref Pen-y-waun, roedd criw o gyfeillion i'r Urdd, gan gynnwys fy llysdad, yn codi arian bob blwyddyn i fynd â phlant o rai o deuluoedd tlotaf Cwm Cynon i Langrannog. Doedd prin air o Gymraeg gan y gwirfoddolwyr na'r bobl ifanc, ond cawsant groeso cynnes ac amser gwych yno. I nifer fawr ohonynt, dyma eu hunig wyliau blynyddol, ac fe adawon nhw Langrannog gan werthfawrogi bod y Gymraeg yn iaith fyw ac yn iaith oedd yn perthyn i bawb.

Diolch i chi am ddylanwadu ar fywydau cenedlaethau ohonom yn ystod eich canrif gyntaf. Mae fy mywyd i, a bywydau fy mhlant, fel nifer o bobl eraill, wedi cael eu cyfoethogi gan gyfleoedd drwy'r Urdd: y gwyliau yn y gwersylloedd, yr eisteddfodau, y cystadlaethau chwaraeon, yr aelwydydd, y cylchgronau, y cyngherddau, y cyrsiau drama a'r cyfle i fod yn rhan o gyfleu'r Neges Heddwch bob blwyddyn.

Hir oes i'r mudiad a gwyn eu byd y bobl ifanc hynny fydd yn mwynhau gweithgareddau'r Urdd am flynyddoedd i ddod.

Rhuanedd

Richard Lynch

Ble i ddechrau gyda'm hatgofion o'r Urdd? Y tro cyntaf pan oeddwn i'n bump neu chwech yn Adran yr Urdd yng Nghapel Tonyfelin, Caerffili? Neu'r llond llaw o eisteddfodau: Abergele, Yr Wyddgrug, Aberafan...?

Erbyn teithio ddwywaith gyda'r Cwmni Theatr Ieuenctid yn yr wythdegau cynnar, roedd bod yn aelod o'r Urdd yn rhan hollbwysig o 'mywyd i. Dyma gyfle i mi siarad yr iaith a dechrau f'ymwybyddiaeth o ddiwylliant a chelfyddyd Gymreig.

Ces i fy nethol fel aelod o Gwmni Theatr yr Urdd am y tro cyntaf yn 1981. Dwi'n cofio rhyfeddu at ddawn a sgiliau'r actorion hŷn – Siân James a Stifyn Parri yn eu plith. Ond does a wnelo'r atgofion hynny ddim â pherfformio, na'r hwyl gethon ni yn teithio Cymru i rai o'n prif theatrau.

Ond dyma'r atgof sy'n ddwfn yn y cof ac yn aml yn dwyn deigryn neu ddau.

Roedd yr wythdegau yn gyfnod llwm i nifer o deuluoedd yng nghymoedd y de a chyfnod go dlawd oedd hi i fy nheulu i. Roedd arian yn brin a'r aberth i hala plant ar gyrsiau yn fawr.

Cyn i mi adael am Langrannog, rhoddodd Mam siec i mi gasho er mwyn cael rhywfaint o arian poced tra o'n i bant. Es i â'r siec a'i rhoi i'r pennaeth, John Japheth. Ges i'r arian parod yn fy llaw. Holodd John am fy nghefndir a'm disgwyliadau o'r cwrs ac es i o 'na yn hapus ddigon, i brynu Tovali Dandelion a Burdock!

Rai wythnosau yn ddiweddarach gofynnodd Mam i mi pam na gashodd rhywun y siec? Do'dd yr arian ddim wedi mynd mas o'i chyfrif banc hi!

Tybio ydw i mai caredigrwydd pur oedd methiant John Japheth, ar ran yr Urdd, i gasho'r siec. Gwnaeth John benderfyniad bod yr angen i fy nheulu yn bwysicach na dilyn y drefn. Ac mae'r weithred honno wedi serio yn fy nghof ers hynny.

Mae fy niolch a'm dyled i'r Urdd yn fawr.

Richard Lynch.

Sian Eleri Evans

Roedd yr Urdd yn rhan mor allweddol o 'mywyd i'n tyfu fyny. Fues i 'rioed yn arbennig o lwyddiannus a wnes i 'rioed bod ddigon dewr i gystadlu yn unigol, ond roedd y perthyn a'r hwyl oedd yn tanlinellu pob gweithgaredd mor bwysig i fi a fy ffrindiau. Mae 'na lwythi o atgofion melys yn sicr!

Nofio oedd fy 'mheth' i ac mae tystysgrifau a medalau'r Urdd yn saff mewn bocs trysorau llawn *mementos* bach o fy mhlentyndod yn dyst i hynny!

Diolch mawr i'r Urdd am y profiadau gwerthfawr a gobeithio'n wir y bydd pobl ifanc Cymru yn mwynhau cymaint ag a wnes i.

Sian

Sian Lewis

Annwyl Urdd,

Dwi ddim am ddiolch i ti am y profiad erchyll o adrodd 'Asyn bach ar lan y môr' ar lwyfan Ysgol Bryntaf yn chwe blwydd oed ac anghofio'r geiriau hanner ffordd drwyddo.

Dwi chwaith ddim am ddiolch i ti am orfodi fi nofio 25 hyd heb stop ym mhwll nofio Gerddi Soffia (fel nofwraig wan ond benderfynol) i godi arian i Steddfod Caerdydd yn 1985, nac am neud fi deimlo hiraeth enfawr yn Llangrannog yn un ar ddeg mlwydd oed. Wnes i esgus mai bola tost oedd gen i ac fe roddodd yr athrawes ddwy lwyed o Calpol i leddfu'r 'boen'!

Ond, mae gen i lawer i ddiolch i ti... am nosweithiau Gwener hapus llawn hwyl a drygioni (rhai digwyddiadau rhy anaddas i'w hargraffu!) yn yr Aelwyd yn Conway Road yn yr wythdegau – yr aroglau tamprwydd, y bwrdd snwcer mawr, Alan Gwynant ac Alwyn, y siop losin lan lofft, y gigs byw gyda bandiau Ysgol Glantaf a'r corneli tywyll i gael snog (ges i ddim llawer)!

Am gael cysgu mewn tŷ gyda *heated blankets* pinc a *cherry aid* fel *nightcap* wrth aros gyda theulu yng Nghastell-nedd yn Eisteddfod 1979. Am roi profiadau newydd i *city girl* fel fi o bifi ar ben mynydd (heb sychwr gwallt) yn fy arddegau. Am ddysgu geiriau 'Nefol Dad' a chydganu gyda ffrindiau wrth i ddiwrnodau cynnes y Gwersyll Haf ddirwyn i ben.

Mae'r profiadau yma i gyd wedi aros yn y cof ers dros dri deg pump o flynyddoedd a mwy, ac yn atgofion wna i fyth anghofio. Mae rhai o'm ffrindiau rannodd y profiadau yma yn dorcalonnus wedi ein gadael. Ond mae un peth yn sicr, yr Urdd ddaeth â ni gyd ynghyd gan greu atgofion hapus a bythgofiadwy o'n plentyndod a'n harddegau drwy gyfrwng yr iaith Gymraeg – diolch Syr Ifan.

x

Steffan Donnelly

Annwyl anthropolegwyr y flwyddyn 3022,

Dwywaith wnes i gystadlu yn Eisteddfod yr Urdd, a hynny yn 2003, ac wedyn yn fy milltir sgwâr, Ynys Môn yn 2004. O be dwi'n gofio, roeddwn i'n cystadlu mewn gwahanol gystadlaethau.

Dwi'n sicr yn cofio oglau glaswellt cynnes ymhob pabell, stelcian o gwmpas y maes efo ffrindiau, ymarfer llinellau'r ymgom mewn rhyw gornel... Difyrrwch a nyrfs!

Y freuddwyd oedd cael perfformio yn y pafiliwn, ond yn anffodus doedd o ddim i fod, felly mi dreuliodd Olwen a fi'r pnawn yn bitsho am bwy gafodd lwyfan dros fyrgyr a Tango. Richard Burton ac Elizabeth Taylor wedi cael cam. Dwi ddim yn dal yn chwerw. Onest.

Ges i fwy o lwc efo cyfansoddi drama a cherddoriaeth a chyntaf yn y gystadleuaeth mathemateg (*classic STEM back-up*). Dwi ddim yn cofio llwyth am y cystadlu arall yma, felly bu'n rhaid i mi wirio archif yr Urdd ar-lein. Ac er mawr sioc, Stephen Donnelly oedd enillydd y Mathemateg!

Os mai canlyniadau Urdd 2004 fydd yr unig arteffact sydd yn goroesi, mi fydd anthropolegwyr yn gofyn: pwy oedd Stephen Donnelly? Does dim cofnod ohono wedi Eisteddfod 2004, felly ble aeth y ddawn fathemategol anhygoel yma? Tybed wnaeth o erioed gyfarfod Steffan Donnelly, oedd yn cyfansoddi drama a cherddoriaeth?

Dydw i ddim yn gwybod be sy'n wir bellach. Oedd oglau'r glaswellt i'w glywed uwchben y Lynx Apollo o'n i'n chwistrellu dros fy nillad i gyd? Oeddwn i hyd yn oed yn licio Tango? Wnes i wir berfformio efo Elizabeth Taylor? Pwy a ŵyr! Er bod dadlau mawr dros y ffeithiau, a'r atgofion yn aneglur, mae'r gwersi yn fythgofiadwy – arfer efo methiant a llwyddiant, mwynhau'r foment, ymdrechu yn sbardun i wella, pleser cydweithio, a bod gwersylla yn dda i'r enaid!

Pob lwc efo'r ymchwil,
Steffan Donnelly

Stifyn Parri

Annwyl Urdd,

Haia! Ga i jest munud i ddeud diolch?

Pan o'n i'n ddisgybl ysgol, mi ges i'r siawns, a'r fraint fwyaf i fod yn aelod o Gwmni Theatr yr Urdd yng Ngwersyll Llangrannog ac alla i ddim pwysleisio pa mor allweddol oedd hyn i mi, yn enwedig yn fy arddegau. Heblaw am yr anrhydedd o gael prif rannau mewn sioeau cerdd gwreiddiol, mi ddysgais gymaint, gymaint mwy. Mi ddysgais i fod yn aelod o gast, i gyfathrebu hefo pobl o bob cefndir dros Gymru gyfan; sut i rannu stafell, sut i gydweithio, a sut i ffitio mewn. Yn ogystal â hyn mi ddysgais fod 'na le i mi fod yn fi fy hun, lle i ddysgu gan y dalent o 'nghwmpas, a bod y lle hwnnw yn llecyn saff i gymdeithas newydd ifanc i ddatblygu, gwella a thyfu.

Erbyn i mi fynd i ysgol ddrama yn y Guildhall yn Llundain wedyn, mi roeddet ti'n barod wedi dysgu gymaint i mi am y grefft yr oeddwn ar fin astudio. Mi roddaist di'r cyfle i mi gamu i'r golau, troedio llwyfannau mwyaf Cymru a pherfformio i gynulleidfa genedlaethol, a minnau'n dal mor ifanc.

Diolch hefyd am yr holl gysylltiade, perthnase a ffrindie sy'n dal yn fy mywyd, dal yn werthfawr, a rhai, erbyn hyn yn gydweithwyr i mi ac yn ffrindie oes. Ond yn bwysicaf oll, ga i ddiolch i ti am lenwi fy mhen ag atgofion lu o hapusrwydd pur, a phrofiade bendi-blydi-gedig. Diolch o waelod fy nghalon. Hebddot, bydde diwylliant Cymru, y diwydiant cyfrynge a byd y theatr yn llai lliwgar.

Iechyd da i'r dyfodol, *Go Baby*!
Stifyn Parri x

O.N.
Cofia, dwi DDIM yn or-ddiolchgar am y profiad o gael fy ngwasgu i mewn i ganŵ, a smalio boddi yn Llyn blincin Tegid, ond pawb at y peth y bo, *I suppose*.

Stifyn Ðni

Trystan Ellis-Morris

Annwyl Urdd,

Ddim yn siŵr iawn lle i gychwyn efo'r diolchiadau am y profiadau di-ri dros y blynyddoedd sy'n ymestyn o gystadlu'n ddi-stop am flynyddoedd i sawl noson ddi-gwsg yng Nglan-llyn, a'r fraint o gael arwain y cystadlu ar lwyfan y pafiliwn i gyflwyno'r arlwy o'r Urdd i S4C ers sawl blwyddyn bellach.

Mae gen i restr ddiwaelod o straeon cofiadwy dros y blynyddoedd ac un o'r rhai sy'n aros yn y cof ydi dŵad i'r brig yn y gystadleuaeth, 'Chwarter Awr o Adloniant' yn Eisteddfod Sir Gâr 2007 ar y thema 'Ryan a Ronnie' efo Aelwyd yr Ynys. Mi gawson ni gymaint o sbort yn yr ymarferion ac mi oedd cael mynd ar y bws o Fôn i Sawth Wêls yn rhywbeth oddan ni gyd 'di edrych 'mlaen gymaint amdano. Yn rhan o'r perfformiad yma oedd fy ffrind annwyl Huw Geth neu Huw 'Stretch' i'w ffrindiau, oedd yn actor ac yn ddigrifwr heb ei ail ac mae meddwl yn ôl i'r cyfnod yn llenwi'r enaid efo hapusrwydd a balchder o gofio am un oedd mor, mor sbeshal.

Mi fydda i hyd byth yn ddiolchgar i'r Urdd am y profiadau anhygoel, y cyfleoedd sydd wedi cyfrannu'n helaeth at fy ngyrfa a'r ffrindiau dwi wedi neud o fod yn rhan o'r mudiad arbennig yma.

Llongyfarchiadau enfawr ar gyrraedd y canmlwyddiant ac am barhau i roi cyfleoedd amhrisiadwy i blant a phobol ifanc Cymru. 'Dan ni'n genedl hynod lwcus. Ymlaen i'r cant nesa gan ddiolch o waelod calon unwaith eto.

Tryst x

Tryst x

Holwch am bris argraffu!
www.ylolfa.com